NUESTRO MUNDO

NUESTRO MUNDO

THIRD EDITION

Ana C. Jarvis
Chandler-Gilbert Community College

Raquel Lebredo
California Baptist College

Francisco Mena-Ayllón
University of California, Riverside

D. C. HEATH AND COMPANY
Lexington, Massachusetts   Toronto

Acquisitions Editor: Denise St. Jean

Developmental Editor: José Blanco

Production Editor: Katherine McCann

Designer: Sally Steele

Production Coordinator: Lisa Arcese

Photo Researcher: Billie Ingram

Text Permissions Editor: Margaret Roll

Cover Art: Jesús Mario Rebolledo

Cover Design: Joanna Steinkeller

Published simultaneously in Canada.

Printed in the United States of America.

International Standard Book Number: 0–669–20893–0

Library of Congress Catalog Number: 90–81923

10 9 8 7 6 5 4 3 2 1

PREFACE

Nuestro mundo, substantially revised in this Third Edition, deepens intermediate-level students' understanding of Hispanic culture in a variety of contemporary contexts. This reader presents selections from current Latin American, Spanish and U.S. periodicals with activities that together develop related language skills and address a broad range of social, political, and cultural ideas.

The readings in *Nuestro mundo* are clustered in twelve lessons based on important themes such as education, the arts, health and well-being, notions of progress, and leisure pursuits. The authors have built in many opportunities for students to formulate and express their own views and to make comparisons, enhancing their cross-cultural awareness. An entirely new section of interactive, realia-based activities, **A ver qué dice aquí,** is featured in the Third Edition.

Nuestro mundo can be used as the main text of a course in cultural studies, or it may be used in conjunction with the *¡Continuemos!,* Fourth Edition, review grammar text to create a comprehensive intermediate program. The latter arrangement offers a practical option for instructors who wish to focus on the cultural content embedded in the *¡Continuemos!* text.

Organization of the Lessons

The readings in *Nuestro mundo* are organized into twelve lessons that parallel the thematic sequence of the twelve lessons in the *¡Continuemos!,* Fourth Edition, review grammar text. Each lesson in *Nuestro mundo* is divided as follows.

- **Readings.** There are two to four reading selections per lesson, adapted from a wide range of Spanish-language magazines, newspapers, and other publications including *Hoy* (Santiago), *Vanidades* (Ciudad de Panamá), *Visión* (México, D. F.), *Cambio 16* (Madrid), and *Réplica* (Miami). Selections are arranged in order of increasing difficulty and passive vocabulary is glossed in the margin.
- **Comente usted.** These questions measure students' comprehension of the readings and promote immediate, focused discussion of the content.

- **Desde su mundo.** These questions invite students to express their opinions on issues raised by the readings, with particular attention to comparisons of similarities and differences among Spanish-speaking, English-speaking, and other cultures.
- **Vocabulario.** This section lists all the active words and expressions that appear in the readings.
- **Palabras y más palabras.** These exercises provide targeted practice with the active vocabulary through word association, paraphrasing, and sentence completion exercises.
- **Actividades especiales.** These communicative activities are designed for in-class use with pairs or small groups. Motivating and meaningful, these tasks include interviews, role-plays, games, and decision-making and problem-solving situations such as broadcast of a TV sports report, publication of a travel brochure, presentation of favorite works of art, and exchange of recipes.
- **Composición.** Based on the reading selections for each lesson, guided compositions develop writing skills. Students proceed from a prepared outline to describe their thoughts on themes inspired by the readings; in certain lessons, they are asked to pose and/or react to questions on a related topic.
- **A ver qué dice aquí.** New to the Third Edition, these communicative activities use realia (advertisements, schedules, surveys, and so forth) as springboards for interactive pair or group tasks thematically linked to the readings. Here, students are given ample opportunities to apply known and new linguistic and cultural skills in practical, authentic contexts.
- **Adivinanza.** Each chapter whimsically concludes with a popular Spanish riddle; inverted answers appear at the bottom of the page.
- **Spanish-English glossary.** This section compiles all the vocabulary from the readings in a handy reference at the end of the book.

New to the Third Edition

- **One-third of the readings are new,** keeping pace with current developments in the Spanish-speaking world and with thematic changes in the *¡Continuemos!* text. A completely new theme of compelling interest, "La salud física y mental," has been added.
- **A revised lesson sequence** reflects the changes in the corresponding *¡Continuemos!* review grammar text, strengthening the thematic unity of these complementary texts.
- **A streamlined vocabulary presentation** allows for the earlier application of newly-acquired terms in communicative exchanges. With vocabulary now consolidated into a single list for each lesson, students progress rapidly to immediate use of new words and expressions.

♦ **The new realia-based section, "A ver qué dice aquí,"** converts the cultural and linguistic concepts drawn from the readings to immediate use in authentic contexts such as advertisements, schedules, surveys, and so on.

Students using *Nuestro mundo* will do more than improve their reading, speaking, and writing abilities in Spanish; they will also acquire an expanded cultural awareness that is the essential foundation for thoughtful, successful use of **any** language.

The authors would like to thank the following colleagues for their thoughtful comments and suggestions in the preparation of the Third Edition:

Professor Alurista, California Polytechnic State University
Catherine Jaffe, Southwest Texas State University
Alan Haley, University of New Hampshire
Dennis Holt, Southeastern Massachusetts University
Frances Stelling, Marquette University

We also extend our sincere appreciation to the following members of the Modern Languages editorial staff of D. C. Heath and Company, College Division: José Blanco, Katherine McCann, Janice Molloy, Gina Russo, and Denise St. Jean.

A. C. J.
R. L.
F. M.-A.

CONTENTS

NUESTRO MUNDO

Los graduados universitarios

¿Cómo alcanzar° el éxito en su carrera? *to attain*

Las virtudes que caracterizan a las personas que triunfan hoy en día son: voluntad°, capacidad de trabajo, experiencia, y tener un sentido práctico y diplomático.

No debe creer Ud. que sólo con buenos deseos puede conseguir el puesto que quiere. El mundo de los negocios requiere capacidad. Debe estudiar y adquirir experiencia.

will

to develop

¿Es posible desarrollar° estas cualidades para poder triunfar en la vida? Muchas personas piensan que sí, pero si sus planes continúan siendo imprecisos, no irán muy lejos. ¿Por qué entonces no ser prácticos y empezar desde ahora a prepararnos para una posición ejecutiva, una profesión, para ser dueños de un negocio o sencillamente para desempeñar° la clase de trabajo para el cual tenemos talento?

to perform

Es importante tener una meta definida y analizar cuidadosamente nuestras habilidades y preferencias; también es importante analizar los puntos básicos de la personalidad. Por ejemplo, ¿se siente Ud. bien con la gente o es tímido? ¿Le gustan los lugares tranquilos o, por el contrario, prefiere los lugares llenos de gente? ¿Tiene paciencia o no? Todas esas características son esenciales para saber qué tipo de carrera le conviene y cuáles debe evitar.

No debe creer Ud. que sólo con buenos deseos puede conseguir el puesto que quiere. El mundo de los negocios requiere capacidad. Debe estudiar y adquirir experiencia.

Si quiere progresar, debe seleccionar cuidadosamente la compañía para la que va a trabajar. Hay datos que le pueden indicar si hay futuro en ella. Como por ejemplo:

- El salario
- El ambiente°
- Plan de beneficios
- El tamaño del negocio
- La preparación que necesita
- La reputación de la compañía

environment

Un buen método para progresar en su trabajo o profesión es observar la conducta de las personas que tienen puestos importantes. Por lo general comparten ciertas características:

El ejecutivo que triunfa:

- Es cortés, sincero y no pierde la calma fácilmente.
- Sabe adaptarse a los cambios.
- Escucha con atención.
- Toma decisiones.
- Tiene empleados que confían° en él.   *trust*
- No es déspota ni autoritario.
- Contesta las llamadas y las cartas que recibe.
- Organiza su trabajo.
- Está preparado para cualquier emergencia.
- Es eficiente.
- Conoce su trabajo perfectamente.

Quizás Ud. se siente perfectamente bien en el trabajo que tiene en estos momentos... pero quizás no. ¿Quién tiene la culpa? ¿Ud.? ¿El tipo de trabajo que realiza? O ninguno de los dos... Si quiere averiguar lo que pasa debe responder con sinceridad a lo siguiente para saber si su trabajo es adecuado para Ud. o no.

TEST

1. Me gusta realizar las actividades de mi trabajo.

   Sí ☐   No ☐

2. La única satisfacción que obtengo de mi trabajo es el salario.

   Sí ☐   No ☐

3. Trato de decir siempre las cosas que mi jefe desea escuchar.

   Sí ☐   No ☐

4. Hago a veces sugerencias creativas para mejorar las condiciones de trabajo.

   Sí ☐   No ☐

5. Pienso que las personas solteras deben dedicar más tiempo a su trabajo que las casadas.

   Sí ☐   No ☐

6. Cuando hay problemas voy de mesa en mesa discutiéndolos con todo el mundo.

   Sí ☐   No ☐

7. Cuando cometo un error lo reconozco.

   Sí ☐   No ☐

8. Me gusta la mayoría de la gente.

    Sí ☐   No ☐

9. Me dedico a algún pasatiempo° en mi tiempo libre.

    Sí ☐   No ☐

    Me dedico... I have a hobby

10. De acuerdo con° el tipo de trabajo que realizo, estoy simpre limpio y bien vestido.

    Sí ☐   No ☐

    According to

11. No me gusta hacer trabajo extra.

    Sí ☐   No ☐

12. Pienso en mi trabajo durante mis horas libres.

    Sí ☐   No ☐

13. Creo que yo trabajo más que el resto de mis compañeros.

    Sí ☐   No ☐

14. Estudio para tratar de mejorar mi posición.

    Sí ☐   No ☐

15. En el trabajo estoy siempre mirando el reloj y desesperado por volver a casa.

    Sí ☐   No ☐

16. Pienso que la mayor parte de la gente progresa porque tiene suerte o influencia.

    Sí ☐   No ☐

17. Estoy interesado en los problemas de mis compañeros.

    Sí ☐   No ☐

18. Considero que soy un empleado indispensable.

    Sí ☐   No ☐

19. Conozco la importancia de mi trabajo para la compañía.

    Sí ☐   No ☐

20. Creo que mi opinión es más acertada° que la de mis jefes y superiores.

    Sí ☐   No ☐

    correct

21. Generalmente estoy contento.

    Sí ☐   No ☐

22. Mantengo en todo momento buenos modales°

    Sí ☐   No. ☐

    manners

23. Reacciono con amargura° o envidia cuando mis compañeros reciben una promoción o un aumento de salario.   *bitterness*

    Sí ☐   No ☐

24. Al final de cada día, estoy exhausto física y mentalmente.

    Sí ☐   No ☐

RESPUESTAS

1. Sí	13. No
2. No	14. Sí
3. No	15. No
4. Sí	16. No
5. No	17. Sí
6. No	18. No
7. Sí	19. Sí
8. Sí	20. No
9. Sí	21. Sí
10. Sí	22. Sí
11. No	23. No
12. No	24. No

EVALUACIÓN

Entre 19 y 24 respuestas correctas: Usted es una persona superior, que es estimada no sólo por sus jefes, sino por sus compañeros de trabajo. Puede tener éxito en cualquier tipo de trabajo, especialmente si contestó *sí* a la pregunta numero 14.

Entre 13 y 18 respuestas correctas: Usted tiene algunas dificultades. Debe estudiar las preguntas para saber si los problemas tienen relación con Ud. o con las condiciones de su trabajo.

Entre 7 y 12 respuestas correctas: Debe examinar a qué grupo pertenecen la mayoría de las respuestas incorrectas. Quizás Ud. necesita cambiar de trabajo, y al mismo tiempo, cambiar radicalmente muchas actitudes.

Entre 1 y 6 respuestas correctas: Su estado de infelicidad° es completo.   *unhappiness*
Quizás trasciende los límites de su trabajo y está relacionado con otros aspectos de su vida. Debe solicitar la ayuda de un médico amigo o un sicólogo profesional.

Adaptado de **Vanidades** *(Panamá)*

Cuarenta nuevas carreras para el futuro

LA mayor parte de las carreras de Le-
tras° tienen unos planes de más de
cien años de antigüedad y las ense-
ñanzas técnicas son de los años veinte.
Por tanto°, la reforma universitaria debe
salir adelante° o, de lo contrario, los
títulos españoles no van a ser recono-
cidos en Europa.

Humanities

Por... so
ahead

> José María Maravall, con la elaboración de cuarenta carreras nuevas, pretende modernizar la universidad española adecuándola al mundo del trabajo y al impacto del ingreso en la CEE[1].

Estas afirmaciones° del Ministro de
Educación coinciden con la finalización

statements

de los trabajos de las quince comisiones del Consejo de Universidades en-
cargadas de° preparar la reforma de los planes de estudios. Como resultado
de estos trabajos la mayoría de las carreras se dividirán en dos ciclos y se
van a crear más de cuarenta títulos universitarios nuevos.

in charge of

La reforma no será sometida° a debate hasta final del año y entrará en
vigor° durante los próximos años. Los estudiantes que ahora están cursando
los planes antiguos van a poder terminar sus estudios dentro de esos planes.

put under /
entrará... will be
effective

---

[1]Comunidad Económica Europea (*European Economic Community*)

Según un representante del Ministerio de Educación, se trata del cambio más importante de la universidad española, que pretende adecuar los estudios al ingreso en la Comunidad Económica Europea y a los nuevos conocimientos. Según informes europeos en los últimos años de este siglo y la primera década del XXI, la cuarta parte de la población va a trabajar en oficios que en la actualidad no existen.

La diferencia entre las enseñanzas° europeas y españolas todavía es abismal. Mientras que en los países comunitarios[1] hay más estudiantes de carreras de tres años que de cinco, en nuestro país ocurre justo lo contrario: el 75% de los alumnos se encuentra inscrito° en treinta y dos carreras largas y sólo el 25% en veinticuatro cortas. Seis carreras (Derecho, Magisterio°, Económicas y Empresariales, Medicina, Geografía e Historia y Filosofía) tienen el 52% de los estudiantes. Solamente de Derecho, que tiene unos planes de estudios de cien años de antigüedad, hay 113.000 estudiantes de los 900.000 universitarios. Para cambiar esta situación, el Consejo de Universidades va a aumentar el número de carreras cortas.

teachings

registered
Education

Quizá lo más notable de esta reforma es la división de los estudios en varios períodos: un primer ciclo, que durará dos o tres años (diplomatura); el segundo, uno o dos años (licenciatura), y el tercero, dos años de investigación (doctorado). El alumno puede pasar de un primer ciclo a varios segundos ciclos. Así por ejemplo, un estudiante puede obtener el título de Geofísica desde una diplomatura en Geología o Física.

Otra de las novedades de esta reforma es que el universitario puede utilizar el sistema de créditos, es decir, se matricula° en aquellas asignaturas que más le interesan: idiomas, geografía, informática. Va a haber otras materias obligatorias que corresponderán como mínimo al 30% de los planes de estudios y las universidades determinarán el resto de las asignaturas.

se... registers

Además se puede obtener un mismo título con planes de estudios diferentes en la misma universidad. Así, por ejemplo, dos estudiantes de Derecho tienen la oportunidad de elegir asignaturas diferentes y mientras uno se licencia en Derecho del Trabajo, el otro lo hace en Derecho Comunitario.

Con esta reforma, la universidad se transforma en un centro de formación permanente, adonde hay que acudir° varias veces para actualizar° los conocimientos.

go / to update

Pero este cambio de la enseñanza superior debe ir acompañado de la creación de nuevas facultades, debido a que la demanda de más plazas° va a continuar creciendo por la incorporación a la universidad de la mujer, los adultos y nuevos grupos sociales.

positions

*Adaptado de **Cambio 16** (España)*

---

[1]Los países que forman parte del Mercado Común Europeo.

Comente usted...

1. ¿Cuántas carreras nuevas van a tener las universidades españolas?
2. ¿Qué problemas tienen los actuales planes de estudios?
3. ¿Qué pasa con los estudiantes que están cursando ahora los planes antiguos?
4. ¿Qué pretende lograr (*achieve*) la universidad española con estos cambios?
5. ¿Qué cambios va a haber a fines de este siglo y principios del año 2.000?
6. ¿Qué diferencia existe entre las universidades españolas y las de los países comunitarios?
7. ¿Cuáles son las carreras más populares en España?
8. ¿En cuántos ciclos se van a dividir los estudios universitarios y cuáles son?
9. ¿Qué por ciento de las materias va a ser obligatorio?
10. ¿Por qué va a ser necesario crear nuevas facultades?

Desde su mundo

1. Generalmente, ¿ofrecen las universidades norteamericanas orientación profesional para sus alumnos?
2. ¿Cree usted que es mejor tener una especialidad o saber «de todo un poco»?
3. ¿Hay buenas posibilidades de trabajo en la carrera que usted estudia?
4. La universidad a la que usted asiste, ¿tiene un sistema educativo moderno y profesores capacitados?
5. ¿Qué sugerencias tiene usted para un estudiante de primer año?
6. ¿Hay muchos graduados universitarios sin trabajo en los Estados Unidos? Dé ejemplos.
7. ¿Qué carreras tienen un exceso de graduados más notorio?
8. ¿Qué carreras ofrecen mejores posibilidades de empleo en los Estados Unidos?
9. El español, ¿tiene algo que ver con su especialidad?
10. ¿Está usted satisfecho con las clases que está tomando este semestre (trimestre)?
11. ¿Tiene Ud. las virtudes necesarias para triunfar en su carrera?
12. ¿Qué cosas cree Ud. que debe hacer para progresar en su trabajo (sus estudios)?

VOCABULARIO △

NOMBRES

el **ambiente**   environment
el **aumento**   increase
el **cambio**   change
la **carrera**   career
la **clase**   kind, type, class
el **conocimiento**   knowledge
el **Derecho**   law
el (la) **dueño** (a)   owner
el **éxito**   success
la **informática**   computer science
el (la) **jefe**(a)   chief, director

la **llamada**   call
la **meta**   goal
el **negocio**   business
el **oficio**   occupation, trade
la **población**   population
el **puesto**   position, job
el **siglo**   century
la **sugerencia**   suggestion
el **tamaño**   size
el **título**   degree
la **vida**   life

VERBOS

aumentar   to increase
averiguar   to find out
cambiar   to change
compartir   to share
durar   to last
escuchar   to listen (to)

evitar   to avoid
pertenecer   to belong
pretender   to attempt, to endeavor
realizar   to do
triunfar, tener éxito   to succeed

ADJETIVOS

antiguo(**a**)   old
satisfecho(**a**)   satisfied

tranquilo(**a**)   quiet, calm
varios(**as**)   several

OTRAS PALABRAS Y EXPRESIONES

al final   at the end
cometer un error   to make a mistake
cuidadosamente   carefully
entrar en vigor   to go into effect
hoy en día, actualmente, en la actualidad   nowadays

por ciento   percent
sencillamente, simplemente   simply
tener la culpa   to be one's fault
todo el mundo   everybody
tomar una decisión   to make a decision

Palabras y más palabras

Las palabras que aparecen en las selecciones... ¿forman ya parte de su vocabulario? ¡Vamos a ver!

Dé el equivalente de las siguientes palabras y expresiones:

1. nombre que corresponde al verbo cambiar
2. todos
3. viejo
4. simplemente
5. tener éxito
6. lo que se recibe al terminar una carrera
7. cien años
8. nombre que corresponde al verbo llamar
9. ocupación
10. tratar
11. nombre que corresponde al verbo aumentar
12. propósito, objetivo
13. con cuidado
14. actualmente
15. decidir
16. tipo
17. equivocarse
18. lo que estudian los futuros abogados
19. opuesto de muerte
20. director
21. propietario
22. hacer
23. número de habitantes de un lugar
24. lo que se estudia en la universidad
25. nombre que corresponde al verbo sugerir
26. opuesto de nervioso

Actividades especiales

A. Complete la siguiente solicitud de empleo, proporcionando datos personales. Luego la clase se dividirá en grupos de dos. Uno de los estudiantes hará el papel de la persona que solicita trabajo, y el otro le hará las preguntas que aparecen en la solicitud.

SOLICITUD DE EMPLEO
CASA RAMONA
654, Del Mar Street
San Diego, California

Sr.
Sra.
Srta._____
Apellido   Nombre   Segundo Nombre

Dirección_____
Calle   Número   Ciudad

_____
Estado   Zona Postal   Teléfono

Número de seguro social:_____ Edad:_____

Estado civil:_____ Nacionalidad:_____

Lugar de nacimiento:_____
Ciudad   Estado o país

Fecha de nacimiento:_____ Licencia de conducción:

No._____

Esposa o esposo:_____

Nombre y edad de los hijos_____

Educación:	*Nombre de la Institución*	*Años Desde/Hasta*	*Título o Certificado*
Primaria:	_____	_____	_____
Secundaria:	_____	_____	_____
Universitaria:	_____	_____	_____
Otros:	_____	_____	_____
Especialización:	_____		

Experiencia:

Nombre de la empresa	*Dirección*	*Desde/Hasta*
_____	_____	_____
_____	_____	_____

Idiomas que habla:_____

Fecha:_____ Firma del solicitante:_____

B. Evalúe usted a uno de sus profesores, usando el cuestionario que le proporcionamos. Marque un número de 1 a 7 para contestar cada pregunta.

	Malo	Regular	Bueno	Muy bueno
	1	2 3	4 5	6 7

	Malo	Regular	Bueno	Muy bueno
1. ¿Está siempre bien preparado el profesor?	1	2 3	4 5	6 7
2. ¿Es entusiasta?	1	2 3	4 5	6 7
3. ¿Presenta la materia de una manera eficiente?	1	2 3	4 5	6 7
4. ¿Muestra interés por los estudiantes?	1	2 3	4 5	6 7
5. ¿Trata a los estudiantes con respeto?	1	2 3	4 5	6 7
6. ¿Estimula a los estudiantes a participar en la clase?	1	2 3	4 5	6 7
7. ¿Permite preguntas y discusión en clase?	1	2 3	4 5	6 7
8. ¿Está usted aprendiendo y progresando en esta clase?	1	2 3	4 5	6 7
9. ¿Cómo evalúa usted este curso en su totalidad?	1	2 3	4 5	6 7
10. ¿Cuál es su opinión general sobre el profesor?	1	2 3	4 5	6 7

Comentarios adicionales:

Composición

Escriba Ud. una composición diciendo cuáles son sus metas y objetivos para los próximos diez años. Incluya lo siguiente:

a. Cursos que va a tomar
b. Carrera que va a estudiar y/o lugar donde desea trabajar
c. Otras cosas que quiere realizar en su vida
d. ¿Matrimonio? ¿Número de hijos?
e. Cosas que piensa hacer para tener éxito en su vida

A ver qué dice aquí

A. Ud. y un compañero(a) están pensando matricularse en (*register*) la Universidad Central, cuyos programas aparecen en el anuncio. Discutan los siguientes aspectos: 1) campos de estudio 2) duración de los programas 3) fechas de exámenes, entrevistas y matrículas 4) dónde pedir información.

B. Con un compañero prepare preguntas basadas en estos anuncios. Háganselas luego al resto de la clase.

FUNDACIÓN
UNIVERSIDAD CENTRAL
Reconocida Institucionalmente Resolución 15818 de 1978 Mineducación

CALENDARIO DE ADMISIONES
SEGUNDO CICLO ACADEMICO 1986

UNIDADES DOCENTES
PROGRAMAS PRESENCIALES

CONTADURIA	**Diurno**	**Nocturno**
	10 semestres	11 semestres
ECONOMIA	**Diurno**	**Nocturno**
	10 semestres	11 semestres
ADMINISTRACION DE EMPRESAS	**Diurno**	**Nocturno**
	10 semestres	11 semestres
PUBLICIDAD	**Diurno**	**Nocturno**
	6 semestres	7 semestres
PERIODISMO	**Diurno** 8 semestres	
INGENIERIA DE SISTEMAS	**Diurno** 10 semestres	

DEPARTAMENTO DE HUMANIDADES Y LETRAS

PROGRAMAS A DISTANCIA
INGENIERIA EN RECURSOS HIDRICOS
1er. ciclo: Tecnólogo en Recursos Hídricos (7 semestres)
2do. ciclo: Profesional (4 semestres)
ECOLOGIA
Ciclo Tecnológico (7 semestres)

INSCRIPCIONES: Hasta el 29 de mayo
EXAMENES DE ADMISION: Domingo 1 de junio
RESULTADOS PARA ENTREVISTAS: Jueves 5 de junio
ENTREVISTAS: Sábado 7 de junio
PUBLICACION DE ASPIRANTES ADMITIDOS:
Viernes 13 de junio en EL TIEMPO
MATRICULAS: Del 16 de junio al 2 de julio.

NOTA: Para la inscripción es necesario haber presentado los exámenes de estado ante el ICFES.
La Universidad, dentro de su autonomía, practicará pruebas sicotécnicas y realizará entrevistas como factor decisivo para el ingreso al claustro.

INFORMES: OFICINA DE ADMISIONES:
Carrera 5a. No. 21-38 — Teléfonos: 2425033 - 2418564
2423878 - 2431869 - 2426084 Extensión 21

UNA ADIVINANZA

?

¿Qué cosa es,
que silba° sin boca,   *whistles*
corre sin pies,
te pega° en la cara   *hits you*
y tú no lo ves?

Pepe Vega y su mundo

El turismo

Un destino que vale un Perú[1]
(pero cuesta mucho menos)

Situado en un escenario de bella y fantástica geografía, el Perú es uno de los países de contrastes más intensos del mundo. En Perú se encuentran todos los elementos naturales que pueden ser anhelados° por los turistas: la selva amazónica bella y misteriosa, las inmensas alturas° nevadas, los profundos precipicios y desnudas estepas° de cordillera andina, las plateadas° y tranquilas playas de su costa, las generosas aguas del Océano Pacífico y el árido desierto litoral°.

En su variada geografía, en la diversidad racial y cultural de sus gentes y en su única y permanente amabilidad°, el Perú que le espera es un país de contrastes: antiguo y moderno, alto y profundo, real y mágico.

> En su variada geografía, en la diversidad racial y cultural de sus gentes y en su única y permanente amabilidad, el Perú que le espera es un país de contrastes: antiguo y moderno, alto y profundo, real y mágico.

wished

heights
desnudas... *bare plains / silvery*

coastal

courtesy

----

[1]**Valer un Perú** is an idiomatic expression which means *worth a great deal.*

En Lima, la capital, una amplia red° hotelera brinda el gran confort *net*
buscado por el visitante, hombre de negocios o turista, y atractivas tiendas
ofrecen finas artesanías y joyería en oro y plata. Una cadena de elegantes
restaurantes ofrece comida criolla e internacional, con show; y un creciente° *growing*
número de Peñas Folklóricas brindan el espectáculo mágico de sus cantos y
bailes nativos.

En sus próximas vacaciones, decídase por el Perú y disfrute de todas sus
maravillas por mucho menos de lo que pensaba, gracias a la ventaja que
supone para el turista español el cambio de la moneda peruana.

Del Fondo de Promoción Turística del Perú (Perú)

Comente usted...

1. ¿Qué elementos naturales encuentra el turista en Perú?
2. ¿Junto a qué océano está el Perú?
3. ¿Qué contrastes presenta el Perú?
4. ¿Qué atractivos tiene Lima para el visitante?
5. ¿Qué ventajas tiene para los españoles viajar al Perú?

Decálogo° del viajero de avión

Set of rules

Viajar en avión es hoy día tan habitual como viajar en tren o automóvil y, según las estadísticas, mucho más seguro. Pero muy pocas personas

> Aprenda a volar de la forma más confortable posible

conocen la existencia de este decálogo para volar de la forma más confortable posible:

1. Elegir bien el horario, sobre todo si se trata de viajes largos, es la primera regla de oro. Los últimos vuelos del día son los que se cancelan más a menudo. Las líneas aéreas siempre suspenden los vuelos semi-vacíos porque es más fácil poner a los pasajeros en otros aviones. Las escalas en ruta tienen siempre riesgo de retraso, porque el avión debe pasar por más controles y revisiones técnicas.

2. Una correcta información sobre todos los vuelos de regreso de las distintas compañías le permite al pasajero saber exactamente lo que tiene que hacer si cancelan su vuelo.

3. El tercer punto, y uno de los más importantes, es la elección° de asiento y para esto es imprescindible° llegar al aeropuerto con tiempo suficiente para poder escogerlo.

choice
essential

4. Los asientos de pasillo tienen más sitio para poner el equipaje de mano. La parte de delante° en clase turista, al lado de las alas, es la que sufre menos vibraciones y, por lo tanto, la mejor para dormir, sobre todo en ventanilla. Si desea tener sitio para estirar° las piernas, debe pedir la primera fila o los asientos que están junto a las salidas laterales de emergencia.

the front

stretch

5. Nunca debe elegir un asiento cerca de las cocinas si no quiere ser el último en comer. Evite los sitios cercanos a los lavabos porque el constante tráfico no le permitirá descansar.

6. Si no fuma y le molesta el humo trate de conseguir un asiento que se encuentre a cinco filas de distancia de la zona de fumadores.

7. Una norma fundamental: lleve siempre en el bolso de mano lo necesario para poder pasar uno o dos días sin tener que usar lo que está en el equipaje facturado°. Esto por si° se pierde o llega tarde el equipaje.

checked / **por...** *in case*

8. No ahorre dinero a la hora de adquirir sus maletas si es un viajero habitual de avión. El equipaje debe ser de material duro y si es posible, con cerradura de combinación°.

combination lock

9. Nunca ponga su dirección en la etiqueta° de identificación del equipaje si viaja con su familia porque está invitando a un posible ladrón a que visite su casa en su ausencia. Lo mejor es poner la dirección oficial o una telegráfica, y lo perfecto es poner también una tarjeta dentro de la maleta por si se pierde la otra.

label

10. La décima recomendación va dirigida° a la salud° mental del viajero. Los retrasos, las pérdidas° de equipaje, los problemas de reserva, etc., provocan a menudo largas esperas. Ponerse nervioso no mejorará la situación. Es aconsejable, por tanto, llevar un libro o una revista interesante o un magnetofón° con auriculares para pasar el tiempo. Fuera ya de la terminal del aeropuerto, un consejo más: nunca le diga a un taxista que es la primera vez que visita la ciudad. En algunos países esta recomendación es particularmente importante porque lo normal es que le hagan el «tour» de la ciudad con el taxímetro corriendo.

va... *addresses / health / losses*

cassette player

Comente usted...

1. ¿Qué dicen las estadísticas con respecto a los viajes en avión?
2. ¿Cuál es la primera regla de oro?
3. ¿Qué cosas debemos tener en cuenta al elegir un asiento?
4. ¿Qué problemas tienen los asientos que están cerca de la cocina o del lavabo?
5. ¿Qué se debe llevar en el bolso de mano?
6. ¿Qué se debe recordar con respecto al equipaje?
7. ¿Qué problemas pueden afectar la salud mental del viajero?
8. ¿Qué no se debe hacer al tomar un taxi?

Sevilla, «ciudad de los reflejos»

Sevilla es una ciudad cosmopolita acostumbrada a convivir durante todo el año junto a los muchos turistas que allí vienen. En las blancas calles llenas de flores del barrio de Santa Cruz, en las noches de guitarras y flamenco, en las mañanas de sol del Parque de

Patria° de los pintores Velázquez y Murillo y del poeta romántico Gustavo Adolfo Bécquer

Birthplace

María Luisa, en las tardes tranquilas a la orilla° del río Guadalquivir o entre las frías paredes de la Catedral, coinciden cientos de personas animadas por el embrujo° y el encanto sevillano.

shore

bewitching

Ortega y Gasset[1] llamó a Sevilla «ciudad de reflejos» por su luz y su color. Es muy frecuente encontrar en los barrios más antiguos numerosos callejones° y plazuelas° donde las casas están pintadas de blanco y tienen balcones en los que resaltan° macetas de flores de tonos vivos y brillantes. La mayoría tiene también un patio, herencia a la vez romana y oriental, pero genuina creación andaluza.

alleys / little plazas

stand out

[1]Famoso escritor y filósofo español

ITÁLICA, CIUDAD ROMANA

Para conocer parte de la historia de Andalucía, los turistas deben visitar Itálica, situada a nueve kilómetros de la capital. Allí pueden ver los restos de una antigua colonia romana fundada en el año 206 antes de Cristo, donde se conservan las ruinas de un gran anfiteatro, así como° las de la calle principal y de algunas casas en las que se puede reconocer patios con fuentes y aljibes.° *así... as well as / cisterns*

En el campo de la cultura, Sevilla tiene especial importancia, ya que,° entre otros hechos destacables, en ella nació Antonio de Nebrija, autor de la primera gramática de la lengua española. *ya... since*

También aquí vivió Miguel de Cervantes durante algún tiempo y dio vida a Don Quijote. La «ciudad de los reflejos» es también la Patria Chica° de Velázquez, Murillo y Valdés Leal, pintores de fama internacional, así como del poeta romántico Gustavo Adolfo Bécquer. *home state (province)*

En la Sevilla de hoy hay un ambiente alegre; en sus barrios populares, una vez terminado el trabajo, se encuentran sevillanos y extranjeros en busca de una típica taberna donde saborear° las riquísimas «tapas»° y los vinos de la tierra.° Esos barrios, a pesar de los años, continúan teniendo el mismo encanto de siempre. *taste / hors d'oeuvres / land*

Por el interés turístico de esta ciudad andaluza, todas las excursiones que se realizan por la región incluyen al menos dos días de estancia° en ella. Un viaje de cinco días recorriendo° Córdoba, Sevilla y Granada y residiendo en hoteles de cuatro estrellas° cuesta alrededor de 300 dólares por persona. Si desea visitarla por cuenta propia, podemos decir que está a 542 kilómetros de Madrid por carretera. *stay / traveling through / stars*

MONUMENTOS MÁS IMPORTANTES

- **La Catedral** El tercer templo de mayores dimensiones del mundo cristiano después de San Pedro en Roma y San Pablo en Londres.
- **La Giralda** Torre de la antigua mezquita, es de arte árabe (siglo XII).
- **Reales Alcázares** Un palacio mudéjar construido por Pedro I de Castilla sobre los antiguos palacios musulmanes.
- **Archivo General de Indias** En él encontramos documentos relacionados con el descubrimiento y la conquista del Nuevo Mundo.
- **Fábrica de Tabacos** Convertida hoy en universidad. Después de El Escorial, es el monumento más grande de España.
- **Torre del Oro** Su nombre se debe a que está cubierta de azulejos° dorados. *tiles*
- **Otro lugar de interés** Los jardines del Parque de María Luisa.

FIESTAS DE INTERÉS

Si su viaje coincide con alguna celebración importante, su visita a esta ciudad tiene un mayor interés. Entre las festividades más famosas están:

- **Semana Santa**   Desde el siglo XVI, Sevilla celebra esta conmemoración con las tradicionales procesiones.
- **Feria de Abril**   Comienza el martes siguiente a la Semana Santa de Pascua de Resurrección° y dura seis días.

Pascua... *Easter*

En la feria sevillana se instalan multitud de casetas alineadas en calles artificiales. Los jóvenes sevillanos se visten con el característico traje regional, dando colorido a la fiesta. La música y los toros son elemento indispensable de la feria de Sevilla.

*Adaptado de **Diario Las Américas** (Miami)*

Comente usted...

1. ¿Puede usted nombrar algunos de los encantos sevillanos?
2. ¿Cómo son las casas de los barrios antiguos?
3. ¿Qué ciudad deben visitar los turistas que están interesados en la historia? ¿Por qué?
4. ¿Quién fue Antonio de Nebrija?
5. ¿Qué tienen en común Cervantes, Velázquez, Murillo, Valdés Leal y Bécquer?
6. ¿Qué hacen los sevillanos después de terminado el trabajo?
7. ¿A qué distancia está Sevilla de Madrid?
8. ¿Qué sabe usted sobre la Catedral de Sevilla?
9. ¿Puede usted nombrar algunos de los monumentos más importantes de Sevilla?
10. ¿Qué cosas pueden ver los turistas si van a Sevilla para la Feria de Abril?

Desde su mundo

1. ¿Qué lugares de los Estados Unidos cree Ud. que los turistas extranjeros deben visitar? ¿Puede describirlos brevemente?
2. La ciudad de los sevillanos tiene lugares muy interesantes. ¿Qué lugares importantes hay en la suya?
3. ¿Qué ciudades del extranjero elige la mayoría de los norteamericanos para ir de vacaciones?
4. Si alguien viaja desde el aeropuerto hasta su casa, ¿qué cosas puede ver?
5. ¿Qué ferias especiales se celebran donde Ud. vive?
6. ¿Qué hace usted cuando quiere pasar un buen rato?
7. ¿En qué restaurante típico americano podemos saborear platos riquísimos?
8. Cuando Ud. hace un viaje largo, ¿qué preparativos hace?

VOCABULARIO △

NOMBRES

el **ala** (*f.*)   wing
los **auriculares**   earphones
la **cordillera**   mountain chain
el **descubrimiento**   discovery
el **encanto**   charm
la **escala**   stopover
la **fila**   row
el **horario**   schedule
el (la) **ladrón(-ona)**   thief, burglar

el **lavabo**, el **baño**   bathroom
la **maceta**   flower pot
la **patria**   homeland, nation
el (la) **pintor(a)**   painter
el **riesgo**   risk
la **selva, jungla**   jungle
el **sitio, lugar**   room, space
la **torre**   tower

VERBOS

brindar   to offer
escoger, elegir (e → i)   to choose,
    to select
fumar   to smoke

molestar   to bother
nacer   to be born
suspender, cancelar   to cancel

ADJETIVOS

bello(a)   beautiful
distinto(a), diferente   different

duro(a)   hard (to the touch)
seguro(a)   safe

OTRAS PALABRAS Y EXPRESIONES

a pesar de   in spite of
al lado de, junto a   beside, next to

sobre todo, especialmente   especially

Palabras y más palabras

Las palabras que aparecen en estas lecturas, ¿forman ya parte de su vocabulario? ¡Vamos a ver!

Dé usted el equivalente de las siguientes palabras y expresiones:

1. nombre que corresponde al verbo descubrir
2. construcción de más altura que superficie (area), ejemplo: en una iglesia
3. objeto para poner plantas
4. nombre que corresponde al adjetivo encantador
5. opuesto de morir
6. persona que pinta
7. escoger
8. país de origen
9. bonito
10. una cadena de montañas; los Andes, por ejemplo

11. ofrecer
12. especialmente
13. cancelar
14. diferente
15. lugar
16. lo que usa un pájaro para volar
17. junto a
18. baño
19. lo que se hace con un cigarrillo
20. jungla
21. persona que roba
22. lo que usamos en los oídos para escuchar música

Actividades especiales

A. Complete las siguientes frases según su propia opinión y experiencia:

1. Al elegir un lugar para ir de vacaciones, yo...
2. Cuando yo viajo, siempre...
3. El clima de la ciudad donde yo vivo...
4. Cuando viajo en avión, yo nunca...
5. Para preservar mi salud mental yo...
6. No muy lejos de mi casa...
7. Una costumbre norteamericana es...
8. En la ciudad donde yo vivo es frecuente encontrar...
9. El ambiente de esta universidad...
10. Ud. puede pasar un buen rato si su viaje a esta ciudad coincide con...

B. La clase se dividirá en varios grupos, con el fin de preparar un folleto (*brochure*) turístico sobre el estado donde está la universidad. Los aspectos que deben aparecer en el folleto son los siguientes:

1. Bellezas naturales del estado
2. Monumentos y lugares históricos
3. Fiestas y celebraciones típicas del lugar
4. Productos típicos de la región
5. Hoteles y restaurantes (incluyan precios)

Cada grupo se encargará de uno de estos aspectos. Sugerimos que incluyan fotografías, mapas, ilustraciones, etc.

Composición

Escriba una composición sobre los planes que tiene para sus próximas vacaciones. Siga estos pasos.

1. Introducción
   a. Lugar que quiere visitar
   b. Preparativos

2. Desarrollo
   a. Lugares de interés (museos, monumentos, playas, etc.) que va a visitar
   b. Medios de transporte que va a utilizar
   c. Dinero que tiene para gastar

3. Conclusión
   a. Por qué elige ese lugar
   b. Necesidad de tener vacaciones

A ver qué dice aquí

Con un(a) compañero(a) de clase prepare preguntas basadas en los anuncios en las paginas 25-26. Háganselas luego al resto de la clase.

UNA ADIVINANZA

?

Una palomita°
blanca y negra,
vuela y no tiene alas°
habla y no tiene lengua.

little dove

wings

Pepe Vega y su mundo

La artesanía

La tierra del ñandutí

En el Paraguay, país legendario de la América del Sur, encontramos bellísimos ejemplos de una artesanía que refleja la influencia de su antepasado indígena y la cultura y la religión de los conquistadores españoles. Hay pueblos enteros en el interior que son centros de diversos tipos de artesanía.

Una leyenda cuenta el origen del famoso encaje de *ñandutí*, que en guaraní[1] significa «telaraña».° Dicen

> El turista que visita Asunción, la capital paraguaya, queda fascinado con las hermosísimas joyas: aros, collares y brazaletes de coral y los anillos de ramales, muy populares entre los jóvenes.

spider web

que una hermosa muchacha paraguaya fue al bosque a buscar a su novio y lo encontró muerto, con su cuerpo cubierto de telaraña. La muchacha corrió a su casa, volvió trayendo hilo y aguja, y, copiando el diseño, hizo una mortaja° para su amado.

shroud

La confección del encaje fue introducida por los españoles, pero las mujeres paraguayas adaptaron los diseños a su propia cultura, y hoy tejen maravillas° que usan para hacer manteles, sobrecamas, vestidos, mantillas,° etc.

wonders / headcovers

Otro ejemplo de la artesanía paraguaya es el famoso *ahó poí*, que significa «tela fina». Es un material bordado generalmente a mano con el que se confeccionan blusas, camisas, vestidos, corbatas, etc.

Paraguay es famoso también por sus artículos hechos con maderas propias del país. Con ellas se fabrican objetos de adorno y utensilios para el hogar, así como imágenes religiosas.

El turista que visita Asunción, la capital paraguaya, queda fascinado también con las hermosísimas joyas: aros, collares y brazaletes de coral y los anillos de ramales, muy populares entre los jóvenes, a quienes les gusta armarlos y desarmarlos, pues son como pequeños rompecabezas de plata u oro.

Los objetos de cuero repujado°, los sombreros y cestas de paja, los ponchos y mantas multicolores y los bonitos adornos de cerámica son una verdadera tentación para el viajero.

embossed

*Adaptado de **Land of Lace and Legend**, publicación de «Las amigas norteamericanas del Paraguay» (Paraguay)*

---

[1]Aunque el idioma principal del Paraguay es el español la mayoría de los paraguayos hablan también el guaraní, un idioma indio.

Comente usted...

1. ¿Qué refleja la artesanía paraguaya?
2. ¿Cuál es la leyenda que existe sobre el origen del encaje de *ñandutí*?
3. ¿Por quiénes fue introducida la confección del encaje y qué se hace hoy en día con el *ñandutí*?
4. ¿Qué es el *ahó poí* y para qué se usa?
5. ¿Qué objetos fabrican en Paraguay con madera?
6. ¿Qué tipos de joyas encuentran los turistas en Paraguay?
7. ¿Qué es un anillo de ramales y por qué es popular entre los jóvenes?
8. Además del español, ¿qué otro idioma hablan en Paraguay?

La artesanía en el Ecuador

El estudio de las artesanías antiguas del Ecuador sirve para conocer y comprender mejor el trabajo de los artesanos de ese país. La cerámica, los tejidos y la fabricación de los sombreros de paja son quizás los más típicos.

> Por tradición la confección de estas vasijas corresponde estrictamente a las mujeres de la tribu, y su secreto, que viene de tiempos inmemoriales, se trasmite de madres a hijas.

CERÁMICA

Se sabe que los indígenas sudamericanos conocieron y dominaron casi todas las técnicas de la cerámica; sin embargo, muchas de estas técnicas no se conocen completamente todavía. En nuestra opinión la cerámica de los indígenas de la zona montañosa de los Andes les muestra el camino a los arqueólogos para estudiar estas técnicas, pues la cerámica de estos lugares es la que mejor conserva, por su calidad, colores y formas, las características de la primitiva cerámica sudamericana.

En el Ecuador, uno de los grupos más representativos de este tipo de cerámica es el de los indios jíbaros. Estos indígenas hacen vasijas a las que llaman «mocahua», en las cuales preparan y conservan la chicha, su bebida tradicional. Las vasijas de cerámica son necesarias para mejorar el sabor de la bebida y también ayudan a conservarla.

Por tradición la confección de estas vasijas corresponde estrictamente a las mujeres de la tribu, y su secreto, que viene de tiempos inmemoriales, se trasmite de madres a hijas. A los hombres les está prohibido intervenir hasta en la venta de estas vasijas.

La elaboración de esta cerámica es totalmente rudimentaria, pues no se utiliza en ella ningún recurso° mecánico, sino sólo el trabajo manual. El material utilizado para la confección de las vasijas es el barro tomado de las orillas de los ríos. Este barro lo trabaja la jíbara en un banco; sobre él forma primero la base de la vasija y después agrega° capas° sucesivas en cantidad proporcional al tamaño y forma que se desea. Después de terminada la vasija, la dejan secar por unos días; más tarde la pintan con los colores básicos, el blanco y el café, y después la decoran con diferentes dibujos. Terminada la decoración, ponen la vasija en el fuego por cierto tiempo, después la sacan y cuando está fría, la cubren con una especie de brillo° natural.

El tamaño de las vasijas varía de acuerdo con el uso: las vasijas más grandes se usan para guardar la chicha y las pequeñas para beberla.

means

adds / layers

shine

TEJIDOS

Ningún otro pueblo posee el dominio de los instrumentos de tejer como los indígenas de los Andes. Otavalo, situada al norte del Ecuador, es famosa por la habilidad de sus indios en los trabajos manuales: alfarería,° tejidos, bordados°, cestería° y otros muchos más.

> En lo referente a tejidos, son característicos los ponchos tradicionalmente usados por los indígenas, generalmente en colores oscuros como el negro y el azul.

pottery / embroidery / basket-making

Los indios realizan sus tejidos en grandes telares° de madera que existían desde antes de los españoles. Éstos los obligaban a tejer en exceso causándoles muchas veces hasta la muerte, debido al duro y excesivo trabajo.

looms

En lo referente a tejidos, son característicos los ponchos, tradicionalmente usados por los indígenas, generalmente en colores oscuros como el negro y el azul. Estos ponchos consisten en una especie de capote° sin mangas y con una abertura° para la cabeza.

cape
opening

El poncho se teje con la lana que obtienen de las ovejas°. Después de cortar la lana la hierven,° la enjuagan,° la secan, la envuelven, y después la usan para la fabricación de hilos. Los telares más antiguos los encontramos en los pueblos cerca de Otavalo.

sheep
boil / rinse

   Debido a la gran cantidad de turistas que visitan el lugar para ver y comprar sus maravillosos trabajos manuales, la forma de obtener el material y su elaboración ha cambiado mucho. Hoy hay fábricas que ya no usan los antiguos telares de madera sino máquinas modernas. Por otra parte, los ponchos ahora se fabrican de colores más brillantes con dibujos y diseños más modernos.

LA FABRICACIÓN DE SOMBREROS

Para confeccionar un sombrero corriente° se necesitan uno o dos días de trabajo, mientras que para hacer uno de mejor calidad, alrededor de un mes y medio.

ordinary

Posiblemente el primer sombrero de paja toquilla° viene del siglo XVI, pero el comercio de los sombreros no comenzó hasta después de la llegada de los españoles a Ecuador.

paja... *a kind of straw*

En 1884 se exportaron por primera vez los sombreros y, desde entonces, el primer importador es los Estados Unidos. A principios del° presente siglo comenzó a llamárselos impropiamente «sombreros Panamá», debido a que en este país tejían sombreros similares con la paja toquilla importada del Ecuador.

at the beginning of

La paja toquilla es una planta silvestre° que abunda en las montañas de Manglaralto y en las cercanías de Montecristo. El material se corta cuando la planta está verde, se hierve en agua y finalmente se pone al sol para secarlo. Para la confección del sombrero es necesario humedecer° la paja; el trabajo debe hacerse dentro de la casa porque el sol quiebra° fácilmente la paja. Mientras más delgada es la paja, mejor es la calidad del sombrero. Para confeccionar un sombrero corriente se necesitan uno o dos días de trabajo, y para uno de la mejor calidad, alrededor de° un mes y medio.

wild

wet
breaks

about

La producción de sombreros es mucho menor ahora porque los antiguos fabricantes° se dedican hoy en día al cultivo del café, ya que esto requiere menos tiempo y produce más dinero.

makers

Adaptado de **Artesanía Folclórica en el Ecuador.** *Editado por el Directorio y el Rectorado del Colegio Alemán Humboldt en Guayaquil, Ecuador.*

Comente usted...

1. ¿Cuáles son las tres variedades más importantes que nos permiten conocer la artesanía del Ecuador?
2. Según los autores del artículo, ¿por qué es importante para los arqueólogos el estudio de la cerámica de los indígenas de los Andes?
3. ¿Para qué usan los indios jíbaros las vasijas llamadas «mocahuas»?

4. ¿Quiénes confeccionan estas vasijas?
5. Explique Ud. cómo confeccionan las jíbaras las *mocahuas*.
6. ¿Qué hacen los indios después que terminan la confección de las vasijas y para qué las usan?
7. ¿Por qué es famoso Otavalo en Ecuador?
8. ¿A qué obligaban los españoles a los indios?
9. ¿Cómo son los ponchos que usan los indios?
10. ¿Cómo se confeccionan los ponchos?
11. ¿Qué diferencias hay entre los ponchos antiguos y los de hoy en día?
12. ¿Cuándo comenzó en el Ecuador el comercio de los sombreros de paja?
13. ¿Es correcto llamar a estos sombreros «sombreros de Panamá»? ¿Por qué?
14. ¿Qué hacen con la paja toquilla para confeccionar los sombreros?
15. ¿Por qué es mucho menor la producción de sombreros de paja toquilla hoy en día?

Desde su mundo

1. ¿Qué tipo de artesanía indígena existe en los Estados Unidos?
2. ¿Conoce Ud. alguna leyenda (indígena) norteamericana? ¿Cuál?
3. ¿Sabe Ud. tejer?
4. ¿Qué objetos de artesanía tiene Ud. en su casa?
5. ¿Sabe Ud. hacer objetos de cerámica?
6. ¿Qué tribus indias existen en los Estados Unidos y qué idiomas hablan?
7. ¿Qué objetos de artesanía va a elegir Ud. para adornar su casa?
8. De las diferentes clases de artesanía, ¿cuál prefiere Ud. aprender?

VOCABULARIO

NOMBRES

el **adorno**   ornament
la **aguja**   needle
el **anillo**   ring
el **antepasado**   ancestor
los **aros**, los **aretes**   earrings
la **artesanía**   arts and crafts
el **banco**   bench
el **barro**   mud, clay
el **bosque**   forest
la **calidad**   quality
la **cesta**   basket
el **collar**   necklace
el **dibujo**   drawing

el **diseño**   design
el **encaje**   lace
el **hilo**   thread
la **joya**   jewel
la **lana**   wool
la **manga**   sleeve
la **orilla**   edge, shore
la **paja**   straw
el **rompecabezas**   puzzle
el **sabor**   flavor
la **sobrecama**, el **cubrecama**   bedspread
el **tejido**, la **tela**   fabric

VERBOS

pintar to paint
secar to dry
tejer to knit

ADJETIVO

bordado(a) embroidered

OTRAS PALABRAS Y EXPRESIONES

a mano by hand
así como such as

Palabras y más palabras

Las palabras nuevas que aparecen en las selecciones, ¿forman ya parte de su vocabulario?... ¡Vamos a ver!

Dé el equivalente de las siguientes palabras o expresiones:

1. aros, anillos, collares, brazaletes, etc.
2. lo que dibujamos
3. material que se usa para hacer cestas y sombreros
4. lugar donde hay muchos árboles
5. lo que usamos para coser
6. parte de una camisa donde ponemos los brazos
7. pelo de la oveja
8. opuesto de _mojar_
9. ornamento
10. tela
11. gusto
12. cubrecama
13. que no está hecho a máquina
14. joya que se usa en el dedo
15. lo que hace un pintor
16. material que usan las jíbaras para hacer sus vasijas
17. alfarería, cerámica, cestería, etc.
18. personas que vivieron antes que nosotros
19. lados del río
20. material hecho con hilos tejidos formando diseños ornamentales
21. como por ejemplo
22. problema para ejercitar la mente

Actividades especiales

A. *Un rompecabezas*

En este cuadro hay doce palabras relacionadas con la artesanía. ¿Puede encontrarlas en cualquier dirección? Las respuestas aparecen al pie de la página.

R	Z	A	B	P	O	N	C	H	O
J	R	O	V	A	S	I	J	A	S
A	O	O	J	O	Y	A	S	E	N
C	L	N	R	D	C	T	R	L	T
I	L	A	O	E	N	C	A	J	E
M	I	M	S	F	R	N	A	M	J
A	N	T	E	L	A	B	F	D	I
R	A	Z	T	O	Q	B	M	V	D
E	O	D	A	D	R	O	B	O	O
C	O	L	L	A	R	N	I	L	S

1. _____
2. _____
3. _____
4. _____
5. _____
6. _____
7. _____
8. _____
9. _____
10. _____
11. _____
12. _____

B. *¿Qué sabe Ud. hacer...?*

Escoja Ud. un juego, baile o cualquier otra actividad que Ud. sepa hacer y enséñeles a sus compañeros cómo se hace. Traiga Ud. a la clase todos los elementos necesarios para su demostración y trate de hacerla en unos minutos. Para servirle de guía tomemos como ejemplo la fabricación de sombreros de paja toquilla.

1. Elementos que necesitamos: paja toquilla
2. Pasos [*steps*] a seguir
   a. Debemos cortar la planta cuando está verde.
   b. Debemos hervirla y secarla al sol.
   c. Antes de comenzar el trabajo debemos humedecer la paja, etc., etc.

sombrero anillo cerámica collar tejidos encaje vasijas poncho joyas aros tela bordado

Composición

Escriba Ud. una composición sobre la artesanía de alguna región o país.

1. Introducción
   a. Tipo de artesanía que Ud. va a describir
   b. Región donde se fabrica
2. Desarrollo
   a. Materiales y elementos que se usan
   b. Cómo se fabrica y quiénes lo hacen
   c. ¿Existen o no influencias de otras culturas?
3. Conclusión
   Importancia de este tipo de artesanía para la economía de la región o país

A ver qué dice aquí

Con un compañero prepare preguntas basadas en estos anuncios. Hágansela luego al resto de la clase.

UNA ADIVINANZA

Oro parece,
Plata no es.
Quien no lo adivine
Muy tonto es.

Pepe Vega y su mundo

La pintura

El período cubista en la obra de Diego Rivera

Una importante exhibición titulada *Diego Rivera: los años cubistas*, circuló por varios museos de los Estados Unidos en una gira que concluyó en el Museo de Arte Moderno de la ciudad de México.

La exhibición se inauguró en el Museo de Arte de Phoenix (Arizona). De ahí viajó a la Galería de Ciencia y Arte de la compañía IBM (en Nueva York), y más tarde al Museo de Arte Moderno de San Francisco. Esta exposición tuvo una gran importancia histórica y artística, ya que° incluyó más de 75 obras del extraordinario pintor mexicano, todas creadas entre los años 1913 y 1917, parte de su poco conocida etapa cubista.

> A la obra cubista de Diego Rivera no se le ha dado la importancia que realmente tiene, tal vez por la magnitud de sus trabajos posteriores.

Diego Rivera vivió por más de diez años en Europa, precisamente durante la época en que el arte moderno comenzaba a ser reconocido como una fuerza° de gran influencia en el mundo entero. Fueron años muy productivos, años de aprendizaje° durante los cuales Rivera produjo cientos de pinturas y dibujos. En París conoció a Picasso y a Braque, considerados como los pioneros del Cubismo, y también a otros artistas que se destacaron° en este estilo. Durante ese tiempo el pintor mexicano sintió la influencia de aquel

ya... since

force
learning

stood out

movimiento artístico, y sus pinturas de ese período son evidencia de este fenómeno inevitable.° *unavoidable*

No obstante, a la obra cubista de Diego Rivera no se le ha dado la importancia que realmente tiene, tal vez por la magnitud de sus trabajos posteriores.° Pero esta etapa en la carrera del genial artista no puede ser ignorada. En sus obras cubistas vemos cómo el gran pintor experimenta en su búsqueda° por lo nuevo, y cómo va madurando en el proceso al mismo tiempo. *later* *search*

Esta excepcional exhibición incluye obras que muestran la fértil versatilidad del estilo de Diego Rivera cuando joven, desde los primeros trabajos que evidenciaban° ya cierta influencia cubista, hasta las obras intermedias en las cuales se nota la transición hacia el estilo que más tarde lo caracteriza. En la simple fuerza de *Paisaje Zapatista* o el tierno° *Retrato de Madame Fischer*; en sus obras españolistas, como *En la fuente de Toledo* y *Plaza de toros*; y hasta en las puramente cubistas, *La terraza del café*, *La Torre Eiffel* y *Fusilero marino*, podemos observar la evolución en el estilo del artista. Pero también están las obras que lo consagraron entre los demás cubistas de París: su importante *Mujer joven con alcachofas*,° *El joven de la estilográfica*, *Azoteas*° *de París*, *El libro y la coliflor*, y *Naturaleza muerta española*, todas ejecutadas° entre los años 1913 y 1915, la época más importante de su período cubista. *showed* *tender* *artichokes* *flat roof on a house* *done*

El Museo de Arte de Phoenix se unió al Instituto Nacional de Bellas Artes de México en la organización y presentación de esta exhibición trascendental desde el punto de vista histórico y artístico. Todas las obras fueron seleccionadas de colecciones públicas y privadas de los Estados Unidos, México y Europa. A los críticos les interesó mucho esta exposición y la consideraron como una de las más importantes de arte internacional que se presentaron ese año.

Adaptado de la revista **Vanidades** *(Panamá)*

Comente usted...

1. ¿Dónde concluyó la gira de la exposición de Diego Rivera?
2. ¿Dónde se inauguró la exposición y en qué otros lugares se exhibió?
3. ¿Cuántas obras incluyó la exposición y a qué etapa de la obra de Rivera correspondían?
4. ¿Qué influencias sintió el pintor en Europa?
5. ¿Por qué no se le ha dado importancia al período cubista de Diego Rivera?
6. ¿Cuáles son las obras que lo consagraron como parte del grupo cubista de París?
7. ¿De dónde fueron seleccionadas las obras?
8. ¿Cuál fue la opinión de los críticos?

Picasso

Como parte de las celebraciones para conmemorar el centenario del nacimiento del pintor; el Museo de Arte Moderno de Nueva York desocupó° tres plantas para instalar allí la sensacional exposición «Picasso: una retrospectiva». Cuadros, dibujos, esculturas, cerámica, grabados°, diseños de vestuarios, *collages*... Algunas piezas provenían° del propio° museo, y también de otros 56 museos en el mundo, incluyendo el nuevo Museo Picasso en París.

> La obra de Picasso sólo puede ser interpretada en función de su propia vida. Una vida concentrada exclusivamente en el arte... y en las mujeres que lo inspiraron.

emptied

etchings

came / itself

Más de la tercera parte de la exposición estaba constituida por los picassos de Picasso, las obras que el pintor reservaba para sí°, y más de la mitad no había sido exhibida nunca en los Estados Unidos, ni siquiera en el propio Museo de Arte Moderno. Además, ésta sería la última ocasión en que el público americano podría contemplar el famoso cuadro *Guernica* antes de que lo devolvieran a España. La instalación se hizo de acuerdo a° un orden cronológico, lo cual permitió contemplar la sucesión de los distintos períodos que se distinguen en la obra de Picasso: el azul, el rosa, el cubista, etc.

for himself

de... according to

La obra de Picasso sólo puede ser interpretada en función de su propia vida. Una vida concentrada exclusivamente en el arte... y en las mujeres que lo inspiraron.

Parece que para cada mujer que amaba, Picasso iniciaba un nuevo estilo de pintar. Su romance, por ejemplo, con Fernande Olivier, que comenzó en 1905, señala el momento de tránsito del período azul, caracterizado por su triste melancolía, al más luminoso período rosa.

La amistad con una mujer intelectual, Gertrude Stein, inició el período cubista con el retrato de la célebre° escritora. Para Olga Koklova, su única esposa legítima, Picasso inventó el período clásico. Olga era una de las bailarinas de los famosos *Ballets Russes* y se dice que a ella no le gustaban las superficies planas° y los colores monótonos del período cubista; por complacerla, Picasso lanzó° un nuevo estilo. De la misma manera, el nacimiento de su hijo Paulo movió a Picasso a realizar una serie de estudios sobre el tema de la maternidad.

famous

flat
launched

Con el comienzo de la guerra española empezó una nueva época en la obra de Picasso. En su famoso cuadro *Guernica,* el artista denuncia los bombardeos de las ciudades españolas, y a partir de este momento, en la totalidad de sus cuadros comenzó a aparecer esa rabia característica que muchos califican de «erótica».

*Adaptado de la revista **Vanidades** (Panamá)*

Comente usted...

1. ¿Cómo se celebró en Nueva York el centenario del nacimiento de Picasso?
2. ¿Por qué fue muy importante para el público la exposición que presentó el Museo de Arte Moderno?
3. ¿Qué ordenación siguió la instalación de la obra de Picasso?
4. ¿Qué cambio se vio en la pintura de Picasso después de conocer a Fernande Olivier?
5. ¿Cuándo inició Picasso el período cubista?
6. ¿Qué inventó Picasso para complacer a su esposa y por qué?
7. ¿Qué hizo el pintor después del nacimiento de su hijo Paulo?
8. ¿Qué importancia tiene su famoso cuadro «Guernica»?

Joan Miró

Cuando Joan Miró presentó su primera exposición de pintura en Barcelona, en febrero de 1918, muchos de los asistentes° sintieron una furia tal° que destrozaron varios de sus dibujos. El veredicto: «Miró está loco.» Pero este famoso pintor catalán, considerado hoy

> Miró les tiene horror a las discusiones y a las largas explicaciones sobre su pintura y el arte en general.

people in attendance / una... such fury

en día uno de los «grandes» de nuestro siglo, indiferente a la crítica, siguió desarrollando su estilo personal. Él mismo° cuenta sus primeros años de extrema pobreza en París, «La vida era dura en aquellos días... Como era muy pobre, sólo podía comer una vez a la semana. Los otros días me contentaba con comer higos° secos y mascaba goma para aplacar el hambre.» De esta época también es su famoso cuadro *La Granja,* que pintó en Montroig, España, y tardó nueve meses en hacer. Por meses y meses recorrió las calles de París tratando de venderlo, pero nadie lo quería. Era tan grande, que ningún *merchand d'art°* quería guardarlo en su galería. Uno de ellos le sugirió cortarlo en ocho pedazos y venderlo por separado. Miró no lo hizo y prefirió seguir pasando hambre°. Un día le presentaron a Hemingway, a quien le encantó° el cuadro pero no tenía dinero para comprarlo. Después de mucho sacrificio logró reunir el dinero ($50), se lo compró al pintor y lo conservó° por el resto de su vida.

he himself

figs

art merchant

to go hungry
loved

kept

Robert Dutrou, uno de sus asistentes, nos habla de su maestro: «sus ojos siempre están alertas, buscando un detalle, una mancha de suciedad, un punto de color... Enseña realmente a ver cosas pequeñas, poco usuales y bellísimas que otros no toman en cuenta... Hasta una pared le interesa.» Un día, mostrándome una gota de líquido en la mesa, exclamó: 'un punto brillante° como éste me produce un *shock*... y con este *shock* puedo crear todo un universo...'»

shining

Miró les tiene horror a las discusiones y a las largas explicaciones sobre su pintura y el arte en general. Pierre Loeb nos cuenta este «intercambio» de ideas acerca de una de sus obras: —Es un caballo, ¿no?... —Sí, es cierto... —No, Joan, es un pájaro... —Sí, es cierto... Miró se niega° simplemente a discutir el significado e inspiración de su obra. Para él, lo que cuenta es la creación plástica en sí°.

refuses

itself

LA FUNDACIÓN JOAN MIRÓ

El «Centro de Estudios de Arte Contemporáneo» creado por Joan Miró, es una verdadera° experiencia cultural. El edificio que lo alberga,° construido por el arquitecto Josep Luis Sert[1] en Barcelona, tiene salas de exposición, un auditorio para doscientas personas, biblioteca con capacidad para 18.000 volúmenes, lugares de reunión, y espacio para espectáculos. Una parte de los

real / houses

---

[1]Josep Luis Sert ha tenido mucha influencia en la arquitectura norteamericana.

jardines y terrazas sirve para la exposición de esculturas, no sólo de Miró, sino de otros artistas contemporáneos.

La fundación también organiza periódicamente exposiciones de otros museos, fundaciones y colecciones particulares de todo el mundo. Ofrece también actos y conferencias sobre música, teatro, cine, video y poesía.

Concede premios y becas para despertar vocaciones, colabora en la formación de jóvenes artistas e investigadores, ayuda en su trabajo y da a conocer su obra. En una palabra, es un centro de difusión de todas las manifestaciones culturales y creativas.

Adaptado de la revista **Vanidades** *(Panamá)*

Comente usted...

1. ¿Qué ocurrió cuando Joan Miró presentó su primera exposición de pintura?
2. ¿Qué nos cuenta el pintor sobre sus primeros años en París?
3. ¿Qué problemas tuvo Miró con su cuadro *La Granja*?
4. ¿Quién compró el cuadro y cuánto pagó por él?
5. ¿Qué nos dice Robert Dutrou sobre Miró?
6. ¿Por qué se niega Miró a discutir su obra? Cuente la anécdota que ilustra esta actitud del pintor.
7. ¿Qué es la «Fundación Joan Miró»?
8. ¿Qué labor realiza esta fundación?

Desde su mundo

1. ¿Qué opinión tiene usted de la obra de Picasso?
2. ¿Prefiere la pintura abstracta o la tradicional?
3. ¿Quién es su pintor favorito? Cite algunos de sus cuadros.
4. Generalmente, ¿es dura la vida de los artistas norteamericanos?
5. ¿Puede usted entender el arte abstracto?
6. ¿Hay una fundación similar a la de Joan Miró en la ciudad donde usted vive?

VOCABULARIO △

NOMBRES

el (la) **bailarín(ina)**   dancer
la **conferencia**   lecture
el **dibujo**   drawing
el (la) **escritor**(a)   writer
la **etapa**, el **período**   period
la **exhibición, exposición**   exhibit
la **gira**   tour
la **goma**   gum
la **gota**   drop
la **granja**   farm
el **jardín**   garden
la **mancha**   stain

la **mitad**   half
el **nacimiento**   birth
la **obra**   work (i.e.: of an artist)
el **pájaro**   bird
la **pintura**   painting, paint
la **planta**, el **piso**   story, floor
la **pobreza**   poverty
el **punto de vista**   point of view
la **rabia, furia**   fury
el **retrato**   portrait
la **suciedad**   dirt, filth

VERBOS

complacer (yo complazco) to please
conceder, otorgar to award, give
concluir to end
desarrollarse to develop
destrozar to destroy
guardar to keep

incluir to include
mascar to chew
notar to notice
presentar to introduce
señalar, indicar to indicate
tardar to take (long)

ADJETIVOS

entero(a) whole
joven young
seco(a) dry

triste sad
único(a) only

OTRAS PALABRAS Y EXPRESIONES

a partir de from
dar a conocer to make known
lograr to manage
los demás the others
ni siquiera not even

no obstante, sin embargo
  however
tomar en cuenta to take into
  account

Palabras y más palabras

Las palabras que aparecen en las selecciones, ¿forman ya parte de su vocabulario? ¡Vamos a ver!

Complete las siguientes oraciones, usando las palabras del vocabulario.

1. En la tercera _____ están los cuadros de Miró.
2. Mi fecha de _____ es el 14 de enero de 1970.
3. A _____ del primero de septiembre, los niños no van a poder _____ goma en clase.
4. Quiere hacerlo él mismo... No quiere ayuda de nadie, ni _____ de sus padres.
5. Me gustan más los _____ de Picasso que sus pinturas.
6. Nosotros fuimos, pero los _____ se quedaron en casa.
7. Picasso pintó un _____ de su hijo.
8. No quiero todo el pastel; quiero sólo la _____.
9. Miró pintó un cuadro llamado «La _____».
10. Este año, para _____ las becas para estudiar en la universidad, van a tomar en _____ la asistencia a clase.
11. Debes limpiar la alfombra. Tiene muchas _____.

12. Quieren publicar un libro sobre Joan Miró para dar a _____ su obra.
13. La _____ de este grupo musical por Sudamérica fue un éxito.
14. No tenía dinero. Vivía en la _____.
15. Puedes quitarle la suciedad a la alfombra con sólo unas _____ de este líquido.
16. Lleno de _____, destrozó todas las fotografías que guardaba de ella.
17. Hoy comienza una nueva _____ en la galería de arte.
18. La _____ de Diego Rivera durante esa época _____ obras de estilo cubista.
19. Por no tener dinero, no pudo _____ su talento artístico.
20. No me gusta la pintura cubista, pero no _____ reconozco que es importante.

Actividad especial

La clase se divide en cuatro o cinco grupos. Cada grupo escogerá un pintor famoso y traerá a clase una reproducción representativa de su obra. Los estudiantes prepararán un pequeño informe sobre la vida de este pintor y se lo presentarán al resto de la clase.

La presentación puede dividirse de esta manera:
Estudiante #1: Da algunos datos sobre la vida del pintor.
Estudiante #2: Habla de la evolución de su obra.
Estudiante #3: Habla del estilo del pintor.
Estudiante #4: Habla del período al que pertenece y de las influencias de otros pintores sobre él.
Estudiante #5: Hace algunos comentarios sobre el cuadro elegido.

Después de las presentaciones, se les dará oportunidad a los otros estudiantes de hacer preguntas.

Composición

Utilizando los datos obtenidos para su informe oral, escriba una composición sobre el pintor que eligió.

A ver qué dice aquí

A. Usted y un compañero(a) de clase han decidido ir a una de las exposiciones anunciadas en los siguientes avisos. Juntos decidan por qué desean ir a la exposición que han seleccionado y discutan los siguientes aspectos:

   a. El tipo de pinturas que van a ver
   b. El lugar donde se realiza la exposición
   c. La hora en que van a ir
   d. Por qué no les interesa la otra exposición

B. Con un compañero prepare preguntas basadas en estos anuncios. Háganselas luego al resto de la clase.

rastro Vegueta

ZONA PEATONAL
Domingos de 9 a 14 horas.

DIA DE LA MUJER

A partir de las 10 horas:
EXPOSICION COLECTIVA DE PINTURA
Organizada por el Colectivo de Mujeres Canarias
Casa de San Antonio Abad

MUESTRA DE MUJERES ARTESANAS
Organizada por el I.C.E.F.
Plaza de San Antonio Abad

A las 12 horas:
AGRUPACION FOLKLORICA «POLIGONO DE JINAMAR»
Plaza del Pilar Nuevo

En Miami

Exhibirán pinturas coloniales de Perú y Bolivia en el Museo de Bellas Artes

De la Escuela de Cuzco

"Arcángel con arcabuz", cuadro de pintor anónimo de la Escuela de Cuzco del siglo XVIII. Se encuentra en el Museo de Artes de Lima, Perú, y es una de las obras que se podrá ver en la exhibición "Gloria in Excelsis" en el Museo de Bellas Artes de Miami desde el 24 de mayo hasta el 20 de julio.

UNA ADIVINANZA

 ¿Qué es lo que
mientras más grande,
menos se ve?

Pepe Vega y su mundo

¿Qué hacemos hoy: dónde comemos, adónde vamos?

5

Madrid: sus olores y sus regiones urbano-gastronómicas

En las últimas décadas, Madrid crece definitivamente, y se viste a la moda universal, adoptando para su ornato el mármol artificial, el cristal, el acero cromado o los plásticos, es decir, se viste de gran ciudad europea, o mejor, americana. Aparecen los supermercados, las tabernas se convierten en° bares, y los antiguos cafés en cafeterías de nombres exóticos.

> Hay calles que huelen a «fabada» asturiana,[1] a pote gallego[2] y a lacón;[3] en otras se percibe el olor de la paella valenciana, o del bacalao a la vizcaína.

turn into

En los barrios céntricos, Madrid conserva su espíritu y su ritmo. Bajo la frívola apariencia del modernismo conserva su espíritu de viejo pueblo castellano, y la gracia° popular de esos Madriles, pasados pero vigentes° que le dan un gusto castizo° inconfundible. Madrid continúa siendo, como dice el crítico Jerónimo Quintana, «la yema de España».

charm / prevailing
genuine

Desde Mesón de Paredes, con la desilusión de la histórica taberna cerrada, volvemos al núcleo del Madrid romántico y castizo; al caserío° que rodea la Puerta del Sol, la Plaza Mayor y la Plaza del Callao. Ese Madrid novecentista,° con monumentos del tiempo de Carlos III y algunas edificaciones del siglo XVII, sigue manteniendo entre otras muchas cosas, además de los monumentos históricos, un regionalismo gastronómico, perfectamente delimitado por los olores.

group of homes
of the 1900s

Lo primero que comprobamos es que, pese a la desaparición° de tabernas famosas aún quedan° en Madrid varios centenares de tabernas o restaurantes económicos que todavía ofrecen los platos típicos de las regiones del norte y levantinas,° la «olla podrida»° castellana o el gazpacho andaluz. Hay calles que huelen a «fabada» asturiana, a pote gallego y a lacón; en otras se percibe el olor de la paella valenciana, o del bacalao a la vizcaína.

disappearance
are left

eastern / vegetable and meat stew

Esta geografía urbano-gastronómica de Madrid, que descubrimos por el olfato,° no es la de los cientos de restaurantes caros que pueden encontrar en Madrid los turistas, sino el refugio de los emigrantes peninsulares que vienen a la conquista de Madrid. Los que algún día quieren vencer° la nostalgia de sus regiones con los sabores y olores que, además de calorías alimenticias,° les proporcionan° esa inédita poesía del folklore que les calienta el alma.

sense of smell

conquer

related to food / give

*Adaptado del diario **ABC** (España)*

---

[1]Stew made of beans and pork

[2]Galician stew made with beef, chicken and vegetables

[3]Special cut of pork

COCINA ESPAÑOLA DE TEMPORADA
Salón independiente para grupos

DOMINE CABRA

restaurante

HUERTAS. 54 • MADRID-14 • 429 43 65

Comente usted...

1. ¿Cómo ha cambiado Madrid en las últimas décadas?
2. ¿Por qué dice Jerónimo Quintana que Madrid es la «yema de España»?
3. ¿Dónde está el núcleo del Madrid romántico y castizo y cómo es?
4. ¿Cuáles son algunos de los platos típicos que podemos encontrar en las tabernas y restaurantes madrileños?
5. ¿A qué huelen algunas calles madrileñas?
6. Los emigrantes peninsulares no buscan los mismos restaurantes que los turistas. ¿Por qué?

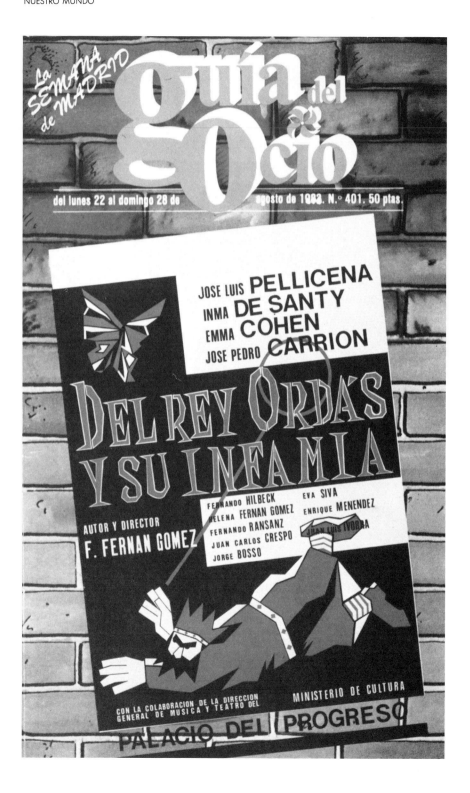

La guía recomienda

cine

estrenos de la semana

Jueves, 2

LA CASA DE BERNARDA ALBA. 1 h. 42 m. Drama. Española. Dir.: Mario Camus. Con Irene Gutiérrez Caba, Ana Belén y Florinda Chico. A la muerte de su marido, Bernarda impone a sus hijas un luto° riguroso de ocho años. *mourning* Tan riguroso que ni siquiera pueden salir de casa. La aparición de un personaje masculino crea toda una serie de conflictos entre las mujeres. Basada en la obra de Federico García Lorca. Mayores 13 años. Cine Torre de Madrid.

¡LA PELICULA ESPAÑOLA MAS INTERNACIONAL DE LOS ULTIMOS TIEMPOS!

LA CASA DE BERNARDA ALBA

TORRE DE MADRID

Después de su triunfal presentación en CANNES, BUENOS AIRES y LA HABANA

El día 14, a competición en

FESTIVAL DE MOSCU

Invitada a los próximos festivales de MONTREAL, CHICAGO, BIARRIZ y LONDON FILM FESTIVAL.

Sábado, 4

COCODRILO DUNDEE II. EE UU. Dir.: John Cornell, Reparto°: Paul Ho-   *cast*
gan, Linda Kozlowsky y John Meillon. Cocodrilo Dundee, que está inten-
tando adaptarse a la vida de Nueva York, se ve obligado a entrar de nuevo
en acción cuando la periodista que lo descubrió en Australia es secuestrada°   *kidnapped*
por unos mafiosos. Tolerada.° Cine Gran Vía.   *G rating*

estrenos que siguen en cartel

LOCA ACADEMIA DE POLICÍA V (Police Academy 5). EE UU. Dir.: Alan
Myerson. Reparto: Bubba Smith, David Graf y Michael Winslow. El coman-
dante de la Academia viaja a Miami para recibir el título de mejor policía
de la década. Pronto empiezan las complicaciones, ya que en el aeropuerto
confunde su bolsa de viaje con otra que contiene una fortuna en diamantes
robados. Recomendada para todos los públicos. Aluche (Sala 3).

DISPARA A MATAR (Mountain King). EE UU. Dir.: Roger Spottiswoode.
Con Sidney Poitier, Tom Berenger y Kirstie Alley. Un agente especial del FBI
tiene un gran sentido de la justicia. Nada ni nadie le impide° perseguir a un   *prevents*
asesino hasta una remota zona montañosa de la costa del Pacífico. Tolerada.
Cine Benlliure.

MUJERES AL BORDE DE UN ATAQUE DE NERVIOS. Española. Dir.:
Pedro Almodóvar. Con Carmen Maura, Antonio Banderas y Julieta Serrano.
Una historia de mujeres enamoradas que se encuentran en una situación límite
al ser abandonadas por sus parejas.° Tolerada. Cines Madrid, Luchana y La   *loved ones*
Vaguada.

películas de reestreno

OJOS NEGROS. Italiana. Dir.: Nikita Mikhalkov. Reparto: Marcello Mastroianni, Silvana Mangano y Elena Sofonova. Basada en varios cuentos de Chejov, narra el amor imposible de un italiano, que se esconde en cómicas bufonadas, por una tímida y desgraciada° dama rusa que conoce en un balneario.° Tolerada. Cine Renior (Sala 4). *unfortunate* / *beach resort*

MAÑANA FUE LA GUERRA. URSS. Dir.: Youri Kara. Con Irina Tchenitchenko y Natalia Negoda. Dos muchachas conviven en profunda amistad en la escuela y en la agrupación comunista. Una es hija de la directora política del grupo, la otra de un poeta. Una noche la policía se lleva detenido al poeta, y todo cambia de pronto en la vida de las dos escolares. Tolerada. Cine Renoir (Sala 2).

NO HABRÁ MÁS PENAS NI OLVIDO. 1 h. 20 m. Drama. Argent. Dir.: Héctor Olivera. Con Federico Luppi y Victor Laplace. En un pueblo de la provincia de Buenos Aires dos fracciones del movimiento peronista se enfrentan° entre ellas con las armas. Roxy A. *face each other*

restaurantes

teatro

CALLE PAZ 11 • TEL. 522 02 00
(Junto Pta. del Sol)

Teatro ⋆⋆⋆⋆ Albéniz

TEMPORADA popular de ZARZUELA
COMPAÑÍA LÍRICA ESPAÑOLA

Del 30 de Junio al 5 de Julio

LA LINDA TAPADA
de José Tallaeche, música de Francisco Alonso

PRINCIPALES INTERPRETES

JOSEFINA MENESES	M.ª EUGENIA CORROCHANO
ANTONIO LAGAR	MARIO FERRER
LUIS VILLAREJO	ISIDORO GAVARI

Dirección musical: **DOLORES MARCO**
Dirección: **ANTONIO AMENGUAL**

JUEVES 2 DE JULIO NOCHE, "MARINA"

COMEDIA NACIONAL DEL URUGUAY

Ayuntamiento de Madrid
Concejalía de Cultura

MINISTERIO DE CULTURA
Instituto Nacional de las Artes Escénicas y de la Música

El Caballero de Olmedo
de LOPE DE VEGA

Adaptación y Dirección: JOSE ESTRUCH

Septiembre
23, 24, 25 y 26 a las 22.30 h.
27 a las 19.30 h.

Venta anticipada
a partir del día 20

CENTRO CULTURAL DE LA VILLA

tarde y noche

música

CLÁSICA

Parque del Retiro. Banda Municipal de Madrid. Director: Moisés Davia. Programa: Suite «Don Quijote», de George Philippe Telemann; «Concierto para oboe, violín y cuerda»,° de Juan Sebastián Bach; «Sinfonía en La mayor, n°. 29», de W. A. Mozart. Domingo a las 12,00h. Entrada libre.

strings

BALLET

Palacio de Deportes. Avenida de Felipe II. Metro Goya. Cuarta temporada de ballet. Ballet Nacional Español. Dirección artística: de Avila. Programa: «Allegro de concierto», de Granados; «Baile por caña», «Asturias», de Isaac Albéniz; «Flamenco» y «Fantasía galaica» de E. Halffter. Días 4, 5, 6 y 7, a las 22,00 horas. Sábado a las 19,00 y 22,45 horas. Localidades desde 100 pesetas. Venta anticipada en taquilla° con cinco días.

ticket window

ÓPERA

Teatro Nacionale de la Zarzuela. Jovellanos, 4. Metro Banco. Temporada de Ópera. «Lucía de Lammermoor», de Donizetti. Director musical: De Fabritis. Director de escena: Luis Pascual. Con Plácido Domingo y Patricia Wise. Días 3, 6, 9 y 12 a las 20,30 horas. Precios populares. Venta anticipada de localidades en las taquillas del teatro.

Estreno Mundial
Danza y Tronío:
MARIEMMA/BOCCHERINI
SOLER · GARCIA ABRIL
Ritmos:
LORCA/NIETO
Flamenco:
QUINTERO/POPULAR
Medea:
GRANERO/SANLUCAR
Orquesta Sinfónica de Madrid
(Orquesta Arbós).
Director: JORGE RUBIO

13 a 22 de Julio.
Horarios: Martes, miércoles
y jueves, 20,30,
viernes y sábados, 22,30.
Domingo, 19,00.

Ballet Nacional de España
Dirección: María de Avila

museos

ARQUEOLÓGICO NACIONAL. Serrano, 13. Metro Serrano. Autobús 9, 51, y M-2. Teléfono 403-6559. Abierto de 9,30 a 13,30h. Reproducción de la cueva de Altamira. Precio 100 pesetas. Con carné de estudiante entrada libre. Prehistoria. Reproducciones.

ARTE CONTEMPORÁNEO. Avda. de Herrera, s/n. Metro Moncloa. Autobús G y 62. Teléfono 449-7150. Abierto de 10 a 18 h. Precio 100 pesetas. Con carné de estudiante entrada libre. Cerrado lunes. Pintura y escultura española y extranjera.

CIENCIAS NATURALES. Paseo de la Castellana, 80. Autobús 7, 14 y 27. Teléfono 261-8600. Abierto de 10 a 14h. y de 15 a 18h. Precio 25 pesetas. Geología. Paleontología. Entomología.

PRADO. Paseo del Prado. Metro Atocha. Autobús 27. Abierto de 10 a 17h. Precio 100 pesetas. Con carné de estudiante entrada gratis. Sábado entrada libre. Instalado en un edificio del siglo XVIII. Pintura española de los siglos XII al XVIII. Pintura de las escuelas italiana, flamenca, holandesa° e inglesa.   *Dutch*

Comente usted...

1. ¿Cuál es el tema de la película «Dispara a matar»?
2. ¿Qué estrenos siguen en cartel?
3. ¿Qué película latinoamericana puede Ud. ir a ver y cuál es el tema de la misma?
4. Si le interesa el ballet, ¿qué compañía puede ir a ver?
5. ¿Qué película está basada en una famosa obra de teatro española?
6. ¿Cuál es el título en español de la película «Crazy Love»?
7. ¿Qué obras va a presentar el Ballet Nacional Español?
8. ¿Qué presenta el Teatro Albéniz?
9. Si a Ud. le gusta la comida italiana, ¿a qué restaurante debe ir?
10. ¿Qué museos debe visitar una persona interesada en pintura y qué día puede ir sin pagar?
11. ¿Puede Ud. describir el concierto que va a haber en el Parque del Retiro?
12. ¿En qué teatro se va a estrenar la obra «El Caballero de Olmedo»? ¿Cuándo se presenta?

Desde su mundo

1. ¿Cuál es el tipo de comida internacional que más le gusta?
2. ¿Qué tipo de comida mexicana se come en los Estados Unidos?
3. En la ciudad donde usted vive, ¿cuáles son los restaurantes que sirven la mejor comida?
4. ¿Cuál es un plato típico de los Estados Unidos?
5. ¿Qué tipo de película le gusta más?
6. ¿Qué películas vio últimamente y cuál le gustó más?
7. ¿Qué museos famosos hay en los Estados Unidos?
8. ¿Qué hace usted los fines de semana?

VOCABULARIO △

NOMBRES

el **acero**   steel
el **argumento,** la **trama**   plot
el **bacalao**   cod
el **cuento**   short story
el **estreno**   première, first
   performance
la **moda**   fashion
la **muerte**   death

la **nostalgia**   homesickness
el **olor**   smell
el (la) **periodista**   journalist
el **personaje**   character
el **sabor**   flavor
la **temporada**   season
la **venta**   sale
la **yema**[1]   yolk

VERBOS

calentar (e→ie)   to heat, to warm
crecer (yo crezco)   to grow
detener, arrestar   to arrest
enamorarse (de)   to fall in love with

esconder(se)   to hide
oler[2]   to smell
robar   to steal, to rob

ADJETIVO

enamorado(a) (de)   in love with

OTRAS PALABRAS Y EXPRESIONES

además de   besides
aún, todavía   still
de nuevo, otra vez   again
de pronto, de repente   suddenly

entre   among
es decir   that is to say
pese a   in spite of
sin embargo   however

Palabras y más palabras

Las palabras que aparecen en las selecciones... ¿forman ya parte de su vocabulario? ¡Vamos a ver!

A. Dé usted el equivalente de las siguientas palabras y expresiones:

1. opuesto de *compra*
2. opuesto de *vida*
3. primera presentación (por ejemplo, de una película)
4. otra vez

---

[1] **la clara (del huevo)**   (egg) white

[2] oler: huelo, hueles, huele, olemos oléis, huelen

   5. persona que escribe para un periódico
   6. arrestar
   7. de repente
   8. parte del huevo
   9. tipo de metal
  10. todavía
  11. clase de pescado
  12. trama

B. Complete lo siguiente:

   1. —Luís está _____ de Raquel, ¿verdad?
      —Sí, se _____ de ella en cuanto la vio.
   2. —¿Cuándo fue el _____ de esa obra?
      —La pusieron al principio de la _____ de invierno.
   3. —Dicen que Roberto _____ un collar de diamantes.
      —Sí, la policía lo _____ ayer. Lo encontraron a pesar de que se
      _____ en casa de su abuela.
   4. —¿Vuelves a México así, de _____?
      —Sí, siento mucha _____ de mi país.
   5. —¿Te gustó el _____ que leíste ayer?
      —Sí, los _____ eran muy interesantes y reales.
   6. —Ella nunca sigue la _____.
      —Es verdad, y sin _____, siempre está bien vestida.

Actividades especiales

A. Siguiendo el modelo de la Guía del Ocio prepare usted un pequeño anuncio sobre un restaurante, una película, una obra de teatro, una función de ballet, o un museo. La clase reunirá todos estos anuncios para formar su propia *Guía del Ocio.*

B. Cada estudiante seleccionará un programa de televisión popular y lo describirá para que sus compañeros adivinen cuál es el programa.

Por ejemplo: ¿Cuál es este programa?

Hay cuatro personajes principales que viven en una casa de apartamentos. Dos de ellos se llaman Fred y Ethel.
Una de las señoras está casada con un cubano que es músico y trabaja en un cabaret.
La señora que está casada con el cubano crea problemas continuamente.

Nombre del programa: *Yo amo a Lucy.*

C. ¡Vamos a cocinar!

¿Tiene usted un plato favorito? Enséñeles a sus compañeros cómo prepararlo. Nosotros le damos una de nuestras recetas favoritas. Siga Ud. el modelo al dar la suya.

ENCHILADAS DE QUESO

Ingredientes:

1 docena de tortillas de maíz
1 lata° de salsa de enchilada   *can*
$\frac{1}{4}$ taza de aceite°   *oil*
1 libra de queso rallado°   *grated cheese*
1 cebolla grande rallada

Preparación:

Calentar la salsa. Aparte, calentar las tortillas en el aceite sin freírlas.°   *frying them*
Sacarlas del aceite y mojarlas en la salsa. Ponerlas en un plato y cubrirlas con un poco de queso y cebolla. Enrollar° las tortillas como   *roll* tubos y cubrirlas con el resto del queso. Ponerlas en el horno a 325° por unos cinco minutos.

Composición

Imagínese que Ud. está viviendo en Madrid y un(a) amigo(a) va a venir a visitarlo(la) por el fin de semana. Escríbale Ud. una carta describiéndole lo que van a hacer y los lugares que van a visitar. Utilice para ello la información que aparece en la *Guía del Ocio*.

Tenga en cuenta:

a. Lo que le gusta hacer a su amigo(a)
b. Sus preferencias en cine o teatro
c. El tipo de comida que le gusta
d. Actividades culturales que se ofrecen durante esos días

A ver qué dice aquí

A. Imagínese que Ud. y unos compañeros(as) estań tratando de decidir lo que van a hacer este fin de semana. Reúnase con varios estudiantes y traten de decidirlo, discutiendo los diferentes espectáculos de teatro, cine y música que aparecen en esta lección.

B. Con un compañero(a) de clase discuta la programación de televisión que aparece en el siguiente anuncio. Luego traten de decidir qué programas parecen ser los más interesantes y divertidos.

GUIA DE MADRID

P R O G R A M A C I O N

MARTES 16

TVE-1

7,45 Carta de ajuste. Tam Tam Go. «Spanish Shuffle».

7,59 Apertura.

8,00 Buenos días. El programa incluye: A las 8,00: Avance informativo. A las 8,10: El tiempo. A las 8,15: Dibujos animados. A las 8,20: «Con tu cuerpo» (gimnasia).

8,30 Telediario matinal.

9,00 Por la mañana. Dirección y presentación: Jesús Hermida. Realización: Luis T. Melgar.

13,00 Scooby Doo. «Scooby Doo y una momia también».

13,30 3 × 4.

14,30 Informativos territoriales.

14,55 Conexión con la programación nacional.

15,00 Telediario-1.

13,35 El Equipo A. «El tío Partenueces» («Uncle Buckle-Up»).

16,25 Un verano tal cual.

18,00 Avance telediario.

18,05 Los mundos de Yupi. «¡Jo, qué lata!»

18,30 El misterio de la flor mágica. Episodio n.º 6. Dirección: Shiro Jimbo.

19,00 La nave Tierra. «Verdes». Dirección y guión: Joaquín Araujo. Presentación: Rosa Pilar Abelló.

19,30 Entre líneas. Dirección: Vicente Parra. Realización: Manuel Ripoll. José Agustín Goytisolo lee su poema «Lucrecia en el espejo». Dossier: «Una librería en Roma». Coloquio con Jesús Pardo y Justo Navarro. Escaparate de novedades editoriales.

20,00 Una vida juntos. «Noviazgo». Dirección: Will MacKenzie. Intérpretes: Dee Wallace Stone, Elliot Gould, Katie O'Neill, Scott Grimes, Ke Huy Quan. A casa de los Randall llega un extraño personaje, Lo Minch Chao, que dice ser portador de un regalo muy especial para Sam.

20,30 Telediario-2.

21,00 El tiempo.

21,10 Contigo. Dirección: Enrique Marti Maqueda. Presentación: Pedro Royán. Con las actuaciones de: Estel Daniere, Daniela Romo, Los Camborios, Amaya y Julio Sabala.

22,20 Sesión de noche. Ciclo Paul Newman. «Un día volveré» ((Paris Blues»), 1961 (98 minutos) (aprox.). (Ver «El cine en casa»).

0,05 Telediario-3.

Actuación de Amaya, en «Contigo» (TV1, 21,10).

0,25 Teledeporte.

0,40 Testimonio. Testimonio de monseñor Alberto Iniesta, al finalizar el Año Mariano.

0,45 Despedida y cierre.

TVE-2

12,15 Carta de ajuste. Folklore: Zamora. «Los toros de Fernerelle», «Ese torito cariñero», «Nosotros somos del pueblo».

12,29 Apertura.

12,30 Tele Europa.

13,00 Programación centros territoriales.

14,30 Informativo territorial.

15,00 Telediario-1.

15,30 Cien años de jazz. (Ultimo episodio.) «All that jazz». Director: Claude Fleontier.

16,30 Zarzuela. «Antología de la zarzuela: Maestro Caballero». Dirección y realización: Fernando García de la Vega. El programa de hoy, dedicado al maestro Caballero, recoge los fragmentos más conocidos de sus zarzuelas: «El dúo de La Africana», «El señor Joaquín», «Los sobrinos del capitán Grant», «Gigantes y cabezudos» y «La viejecita».

17,30 Los conciertos de Pop-grama. Con los conciertos de Gato Pérez y Veneno.

18,30 Doblar el cabo de Hornos. Reposición. «Los tres anillos» Episodio n.º 1. Dirección: Felipe Mellizo. Seguimiento de la regata Withbread, alrededor del mundo, durante 23 semanas.

19,00 Capitolio. Episodio n.º 229. La noticia del Easy Rider aparece en el periódico y alarma a Jeff. También Donato se preocupa por si salen a relucir cosas de su pasado.

19,25 Nuestro mundo. «Indios del alto Orinoco» (II). Los indios yanomanis, una de las tribus más antiguas de toda Sudamérica y que hasta hace poco no han entrado en contacto con la civilización.

19,40 La aventura de las plantas. «Ayúdate y la tierra te ayudará». Episodio n.º 2.

20.05 Flamenco al oído. «De Granada». Cuatro programas de la serie que recoge las mejores actuaciones de IV Bienal de Flamenco de Sevilla. Hoy, el Grupo del Sacromonte, Polaco, Naranjito de Triana, Niño de Illora, Pilar Heredia, Sabicas y Enrique Morente en cantes y toques de Granada.

21,00 El mirador.

21,15 Suplementos-4. «Nuestra Europa». Dirección: Secundino González.

21,50 El tiempo es oro. Dirección: Sergio Gil. Realización: Sergio Schaaff. Presentación: Constantino Romero. Programa concurso.

22,50 Tendido cero. Dirección: Joaquín Gordillo. Realización: Carlos Jiménez Bescós. Guión: J. Gordillo y Fernando Fernández Román. Programa dedicado a la actualidad taurina.

23,20 La buena música. «Más o menos nuestro» (II Muestra Nacional de Música Folk para Jóvenes Intérpretes). Dirección: Antonio Gómez y Antonio Resines. Realización: Luis M. de Galinsoga. El programa ofrece una muestra de los premios de la Muestra Nacional de Música Folk para Jóvenes Intérpretes celebrada el pasado mes de junio en Santiago de Compostela. Actuarán el tamborilero y gaitero salmantino Angel Rufino de Haro, ganador del premio de folk tradicional, y el grupo madrileño La Musgaña, ganadores del premio correspondiente al folk renovado.

0,20 Despedida y cierre.

UNA ADIVINANZA

Una cajita muy blanca.
Todos la pueden abrir;
Nadie la puede cerrar.

Pepe Vega y su mundo

La salud física y mental

El patinaje: Un ejercicio aeróbico

¿Quién dijo que patinar era solamente un juego de niños? Más de treinta millones de americanos patinan en pistas° de hielo y en aceras. Es una diversión sobre ruedas, pero ¿se puede patinar también para mantenerse en forma? La respuesta es sí, de acuerdo con la *American Heart Association,* que dice que el patinaje es una actividad cardiovascular porque beneficia el corazón y los pulmones°, dándoles fuerza y resistencia. De hecho, el patinaje ocupa un lugar junto al jogging, el ciclismo y otros deportes. Patinar proporciona tono muscular y ayuda a quemar calorías una vez que ha empezado a practicar pasos vigorosos en carreras cuya duración es de ocho a diez minutos. Los principiantes deben comenzar lentamente, pero a medida que vayan desarrollando más confianza y soltura° pueden aumentar la velocidad y la distancia hasta tener una rutina en patines de veinte a treinta minutos por lo menos. Para un mejor acondicionamiento cardiovascular, combine el patinaje con algún otro ejercicio aeróbico, pues uno oxigena el organismo y el otro acondiciona los músculos. Practíquelos por los menos tres veces por semana.

> Patinar proporciona tono muscular y ayuda a quemar calorías una vez que ha empezado a practicar pasos vigorosos en carreras cuya duración es de ocho a diez minutos.

rinks

lungs

flexibility

*Adaptado de **Buenhogar** (Panamá)*

Comente usted...

1. ¿Cuántas personas patinan en los Estados Unidos?
2. ¿Dónde patinan?
3. Además de ser una diversión sobre ruedas, ¿qué otra razón hay para patinar?
4. Según la *American Heart Association,* ¿qué tipo de actividad es el patinaje?
5. ¿Qué beneficios proporciona el patinaje?
6. ¿Qué consejos les ofrece el artículo a los principiantes?
7. ¿Es una buena idea combinar el patinaje con algún otro ejercicio? ¿Por qué?

Haciendo ejercicio

E stos son ejercicios para mejorar la flexibilidad de la espalda y endurecer° los músculos abdominales. Es necesario que tengamos en cuenta que la gimnasia no sólo es importante para rebajar de peso, sino que también ayuda a poner en forma los músculos del cuerpo.

> La gimnasia no sólo es importante para rebajar de peso, sino que también ayuda a poner en forma los musculos del cuerpo.

firms up

1. Extendido en el suelo, con las piernas flexionadas y los brazos cruzados alrededor del cuerpo, levante la cabeza hasta que los hombros no toquen el suelo. Permanezca° así durante uno a dos minutos y vuelva a la posición inicial.

Stay

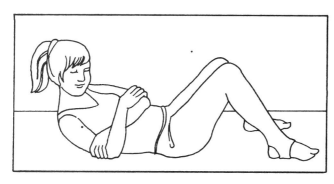

2. Tendido° en el suelo, agarre una pierna con las dos manos, dejando la otra bien extendida. Acerque la frente a la rodilla y repita con la otra pierna el mismo ejercicio.

Lying

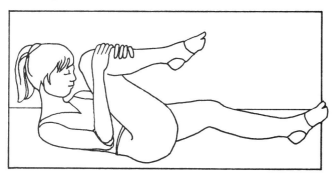

3. En la misma posición, agarre con las dos manos las dos piernas por debajo de las rodillas. Permanezca así durante unos minutos.

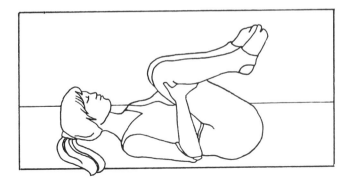

4. En esa posición, levante la cabeza hasta tocar las rodillas con la frente.

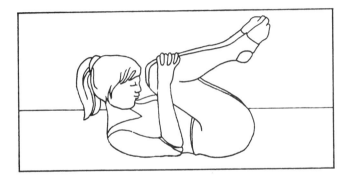

Comente usted...

1. Nombre tres beneficios que recibe la persona que hace estos ejercicios.
2. En el primer ejercicio, ¿cómo deben estar las piernas? ¿y los brazos? ¿Qué no deben tocar los hombros? ¿Por cuánto tiempo se debe permanecer así? ¿Qué se debe hacer luego?
3. ¿Qué se hace con las piernas en el segundo ejercicio? ¿A qué se debe acercar la frente?
4. ¿Qué se debe hacer en el tercer ejercicio? ¿Por cuánto tiempo?
5. ¿Cómo termina el ejercicio?

Problemas de la tensión

EL ESTRÉS: MAL DEL SIGLO XX

De la tensión nerviosa (o estrés) no se salva nadie. Hagamos lo que hagamos,° las presiones nos ponen tensos. Del estrés del ama de casa que se siente excluida del mundo al del estudiante que vive bajo la presión de continuos exámenes, hay enormes diferencias y un factor común: la tensión nerviosa como respuesta. Pero lo que causa el mayor número de casos —y los más agudos°— es el trabajo.

> Las consecuencias sociales y económicas del estrés son tales que no sólo instituciones científicas, sino también las grandes empresas las estudian.

Hagamos...
Whatever we do

sharp

En las grandes empresas donde la competencia es intensa y el aburrimiento frecuente, es común que empleados y ejecutivos sufran de tensión nerviosa. El ejecutivo internacional, siempre de viaje, solo, aislado y obligado a tomar decisiones de grandes consecuencias y el obrero de la línea de ensamblaje, que debe repetir *ad infinitum* y a la perfección el mismo movimiento, igualmente sufren de estrés. Hay quien lo padece al ver sus ambiciones frustradas y también quien tiene demasiadas responsabilidades. El éxito y el anonimato, el exceso de estímulos y el exceso de monotonía producen estrés.

¿Qué es, entonces, el estrés? La tensión nerviosa es el resultado de una reacción fisiológica, genéticamente preestablecida y producida por las glándulas internas cuando la persona se enfrenta a ciertos estímulos externos.

A pesar de la multitud de investigaciones que desde 1936 se han realizado en torno de la tensión nerviosa, aún se desconocen los mecanismos que producen este síndrome (o cómo adquiere su calidad destructiva) porque el organismo no reacciona a la realidad objetiva sino a la percepción individual de esa realidad. Las consecuencias sociales y económicas de la tensión nerviosa son tales que no sólo instituciones científicas, sino también las grandes empresas las estudian. Y es que el estrés es causa de bajo rendimiento en el trabajo, decisiones equivocadas, ausentismo, problemas en las relaciones personales y enfermedades.

El problema —en apariencia no tan grave— es tal que están desarrollando proyectos multinacionales para estudiarlo. Italia, Estados Unidos, Gran Bretaña, Irlanda, Alemania, Holanda, Austria y Hungría, por ejemplo, han iniciado proyectos de investigación sobre la influencia del estrés laboral.

*Adaptado de la revista **Hombre** (Panamá)*

¡Rompa la tensión!

L a tensión es un síntoma que aparece cuando Ud. se enoja. Por eso cuando se sienta así, luche contra la tensión haciendo lo siguiente:

1. Dese un masaje en alguna parte de su cuerpo —por ejemplo, el cuello— durante diez segundos.
2. Estire los brazos hacia arriba y a los lados. Eso aliviará la tensión.
3. Cierre los ojos por unos segundos.
4. Si está casi pegado a su escritorio en su trabajo, muévase en su silla; con este movimiento descansará la parte baja de la espalda.
5. Mírese las manos. ¿Están deteniendo o apretando algo con fuerza? Relájelas poco a poco.
6. Haga algunos ejercicios de respiración profunda, lentamente.
7. Hable más despacio.
8. Si está parado, tome asiento. Descanse y tranquilícese.
9. Tome un vaso de agua fría o alguna bebida descafeinada. Le ayudará a calmarse físicamente.
10. Tome un descanso.

Adaptado de **Buenhogar** *(Panamá)*

Comente usted...

1. ¿Cuál es el mal del siglo XX?
2. Según el primer artículo, ¿todos sufrimos de estrés alguna vez?
3. ¿Qué es lo que causa el mayor número de casos de estrés?
4. ¿Cuáles son los problemas que experimentan los empleados de las grandes empresas? (¿los obreros?, ¿las amas de casa?, ¿los estudiantes?)
5. ¿Cómo podemos describir el estrés?
6. ¿En qué año comenzaron las investigaciones sobre el estrés?
7. ¿Todos reaccionamos de igual manera ante la misma situación?
8. ¿Cuáles son algunos problemas que causa el estrés?
9. ¿Qué han hecho Estados Unidos y varios países de Europa?
10. ¿Qué consejos da el segundo artículo para romper la tensión?

Piense positivamente... y será la persona que desea ser

¡Aprenda a apreciarse a sí mismo! Éste es el paso básico para sentir seguridad interior y proyectársela a los demás. Si no tiene una buena opinión de sí mismo, entonces andamos muy

> ¡Espere lo mejor para Ud.! ¿Por qué no? ¡Usted se lo merece!

mal. Si empieza por rebajarse o disminuirse, si cree que no son sinceras las palabras de halago que otras personas le dedican, y si invierte todas sus energías en complacer a otros, olvidándose de sus propias necesidades, jamás podrá proyectar una imagen auténtica de seguridad.

Como bien dice el refrán, «año nuevo... ¡vida nueva!» Establezca como prioridad en sus resoluciones para éste que comienza ¡un cambio total en su actitud hacia la vida! Se va a sentir más satisfecho y feliz consigo mismo y con los demás.

10 PUNTOS PARA RECORDAR

Estos diez puntos le ayudarán mucho a perseverar en sus esfuerzos por convertirse en una persona feliz y segura de sí misma:

1. Recuerde que el saber autoestimarse es lo mejor, no sólo para usted sino también para su familia, sus amigos y sus compañeros de trabajo.
2. Espere lo mejor para usted. ¿Por qué no? ¡usted se lo merece!
3. Piense a diario que usted se respeta, se apoya y aprueba sus propios actos.
4. Tómese el tiempo que necesita para hacer aquellas cosas que a usted le gustan, y disfrute de ese tiempo.
5. No se maltrate ni se torture. Aprenda a perdonarse a sí mismo y a seguir adelante, sin obsesiones por los errores cometidos.
6. Rechace los pensamientos negativos que le vengan a la cabeza. Reemplácelos con ideas positivas.

7. Rechace resentimientos, rencores y deseos de venganza. Aprenda a perdonar.
8. Reserve tiempo para pensar y decidir qué metas quiere lograr; haga planes para obtenerlas... ¡y ponga en práctica los medios para alcanzarlas!
9. Concéntrese en las cosas buenas que le ofrece la vida. Résteles importancia a las malas.
10. Repase cada noche los progresos del día en su meta a ser más asertivo, y piense que el día siguiente va a ser todavía mejor. Recuerde que mañana es el primer día del resto de su vida y, por lo tanto, hay que recibirlo con optimismo.

Adaptado de **Buenhogar** *(Panamá)*

Comente usted...

1. ¿Cuál es el paso más importante para sentir seguridad interior?
2. ¿Cuáles son algunas de las cosas negativas que hacemos a veces?
3. Cuando usted sabe autoestimarse, ¿es usted el único que gana?
4. ¿Qué debe pensar usted a diario?
5. ¿Qué debe hacer en cuanto a sus errores del pasado?
6. ¿Cuál debe ser su actitud con respecto a las personas que le hicieron algún mal?
7. ¿Qué debe hacer en cuanto a sus metas?
8. ¿Qué debe hacer cada noche?

Desde su mundo

1. ¿Cuáles son los tipos de ejercicio más populares en los Estados Unidos actualmente?
2. ¿Cuántos años tenía usted cuando trató de patinar? ¿Aprendió?
3. ¿Cuántas horas por semana le dedica usted al ejercicio?
4. ¿Por qué son muy famosos Jane Fonda y Richard Simmons en los Estados Unidos?
5. ¿Por qué cree usted que hay tanto estrés en este país?
6. ¿Qué medidas toma usted para combatir el estrés?
7. ¿Qué cosas le causan tensión nerviosa a usted?
8. Cuando usted era adolescente, ¿tenía una buena opinión de sí mismo(a)?
9. Hoy es el primer día del resto de su vida. ¿Cuáles son sus resoluciones?

VOCABULARIO △

NOMBRES

el **aburrimiento** boredom	los **medios** means
la **acera** sidewalk	la **meta** goal
la **carrera** race	el, la **obrero(a)** laborer, worker
el **ciclismo** biking	el **paso** step
la **confianza** trust	el **patín** skate
el **corazón** heart	el **patinaje** skating
el **cuello** neck	el **pensamiento** thought
el **descanso** rest	la **pista de hielo** ice skating rink
la **diversión** amusement	los **pulmones** lungs
la **empresa** business, enterprise	el **rendimiento** production
la **enfermedad** illness, disease	la **respiración** breathing
la **frente** forehead	la **soltura** ease
la **fuerza** strength	el **suelo** ground, floor
el **halago** flattery, praise	la **venganza** revenge
la **investigación** research	la **vida** life

VERBOS

acercar to get closer	**invertir** (e→ie) to invest
acondicionar to condition	**lograr** to achieve
alcanzar to reach	**maltratar** to mistreat
apoyar to support, to lean	**merecer** (**yo merezco**) to deserve
apretar (e→ie) to squeeze	**perdonar** to forgive
complacer to please	**proporcionar** to give
desarrollar to develop	**quemar** to burn
descansar to rest	**rebajarse** to lower oneself
disfrutar to enjoy	**rechazar** to reject
enfrentarse to face	**repasar** to review
estirar to pull	**tranquilizar(se)** to calm down

ADJETIVOS

equivocado(a) wrong, mistaken	**pegado(a)** extremely close, glued
extendido(a) stretched out	**profundo(a)** deep
grave serious	

OTRAS PALABRAS Y EXPRESIONES

a diario daily	**hay que** one must
a los lados to the sides	**los demás** others
a medida que as	**poco a poco** little by little
alrededor (**de**) around	**por debajo de** below, underneath
andamos muy mal we're in deep trouble	**por lo tanto** therefore
de acuerdo con according to	**seguir adelante** to forge ahead
de hecho in fact	**sobre ruedas** on wheels
hacia arriba upward	**todavía** even

Palabras y más palabras

Las palabras que aparecen en las selecciones, ¿forman ya parte de su vocabulario? ¡Vamos a ver!

Dé el equivalente de las siguientes palabras y expresiones:

1. parte de la cabeza
2. lo usamos para patinar
3. los necesitamos para respirar
4. producción
5. dar
6. lo que debemos hacer cuando estamos cansados
7. opuesto de *aceptar*
8. diariamente
9. a los costados
10. opuesto de *hacia abajo*
11. parte de la calle por donde se camina
12. parte del cuerpo que sostiene la cabeza
13. lo que uno se propone lograr
14. opuesto de *muerte*
15. opuesto de *alejar*
16. opuesto de *salud*
17. negocio
18. no tratar bien
19. opuesto de *debilidad*

Actividades especiales

A. Complete las siguientes frases según su opinión personal.

1. Cuando me invitan a patinar, yo (no) acepto, porque...
2. En una pista de hielo, yo...
3. Para mantenerme en forma, yo...
4. Yo no tengo ninguna confianza en...
5. Por lo menos tres veces por semana, yo...
6. Para combatir el aburrimiento, yo creo que lo mejor es...
7. Cuando yo me enojo, generalmente...
8. Yo digo «andamos muy mal en este país» cuando pienso en...
9. Yo invierto muchas energías en...
10. Yo necesito tomarme más tiempo para...
11. Lo que yo necesito aprender a hacer es...
12. Una cosa que me es difícil perdonar es...

B. Con un(a) compañero(a), tome este test para ver cómo es su salud física y mental, y si necesita hacer algunos cambios en su vida. Discutan cada punto antes de proseguir.

1. Yo hago ejercicios para mejorar mi acondicionamiento vascular.
   a. nunca
   b. a veces
   c. por lo menos tres veces por semana

2. Yo hago ejercicios para acondicionar los músculos.
   a. nunca
   b. a veces
   c. por lo menos tres veces por semana

3. Mi cuerpo es...
   a. muy poco flexible.
   b. algo flexible.
   c. bastante flexible.

4. En mi vida...
   a. hay demasiada tensión nerviosa
   b. no hay tensión nerviosa
   c. hay estrés pero yo sé cómo combatirlo

5. Mi trabajo...
   a. es muy aburrido.
   b. me causa muchas preocupaciones porque tengo que tomar muchas decisiones importantes.
   c. me gusta mucho.

6. Cuando yo me enojo...
   a. no digo nada y guardo todo lo que siento dentro de mí.
   b. grito y expreso toda mi rabia.
   c. trato de calmarme haciendo ejercicio o hablo con alguien de lo que me hace enojar.

7. Yo tengo...
   a. muy poca confianza en mí mismo(a).
   b. confianza en mí mismo(a) en ciertas situaciones.
   c. mucha confianza en mí mismo(a).

8. Yo siento que...
   a. nunca tengo tiempo para hacer lo que yo quiero.
   b. raras veces puedo hacer lo que yo quiero.
   c. tengo bastante tiempo para disfrutar de las actividades que me interesan.

9. Cuando cometo un error...
   a. me torturo y me siento culpable.
   b. tiendo a culpar a otros.
   c. trato de remediar la situación y de no volver a cometer el mismo error.

10. Cuando alguien me hiere...[1]
    a. no perdono a esa persona y no olvido lo que me hizo.
    b. pienso a veces en cómo vengarme.
    c. trato de perdonar o, por lo menos, de olvidar.

Composición

Consejos para alcanzar la felicidad.

Escriba una lista de diez consejos que Ud. les daría a sus amigos(as) para alcanzar la felicidad.

A ver qué dice aquí...

Con un(a) compañero(a), prepare preguntas basadas en estos anuncios. Háganselas luego al resto de la clase.

PARA VIVIR MÁS Y MEJOR:
DIETAS, EJERCICIOS Y . . . SALUD

La Revista Especializada de **VANIDADES** con los temas y consejos fundamentales sobre la salud, que le ayudarán a llevar una existencia más plena y duradera.

- En 9:35 minutos ¡una nueva imagen!
- Por qué los hombres no van al médico.
- Buenas piernas a cualquier edad.
- Su piel en el laboratorio.

La respuesta para su organismo la tiene

SALUD TOTAL XIII

A la venta en su puesto de revistas favorito.

---

[1]hurts me

UNA ADIVINANZA

«Una vieja, con un diente,
que llama a toda la gente...»
¿Qué es?

Pepe Vega y su mundo

Los deportes

Los Juegos Olímpicos: Barcelona hacia el '92

(Notas sobre la preparación de las Olimpiadas de 1992 y su importancia para Barcelona)

En 1992 van a celebrarse en Barcelona, España los Juegos de la XXV Olimpiada de la Era Moderna, justo al cumplirse un siglo desde que el barón de Coubertin[1] tuvo la idea de restablecer esta gran fiesta mundial del deporte.

Barcelona, a orillas del° Mediterráneo, se prepara para esta gala universal que se iniciará con la llegada al estadio de Montjuic de la vieja antorcha helénica que une a todo el mundo.

> Los Juegos Olímpicos de 1992 en Barcelona constituyen el gran reto para el deporte español. Buena parte del éxito de este acontecimiento dependerá del nivel deportivo que alcancen nuestros representantes.

a orillas... on the shores

El año 1992 es pues° un año clave° para España. Durante ese año vamos a tener la oportunidad de dar un salto adelante° en nuestra proyección internacional. En España se van a desarrollar acontecimientos tan importantes como la exposición Universal de Sevilla y la Olimpiada de Barcelona. Al mismo tiempo celebramos el V Centenario del Descubrimiento de América y es también el año de la entrada definitiva de España en el Mercado Común Europeo.

therefore / key

forward

Dentro de° esos acontecimientos el que va a tener más proyección popular es evidentemente la Olimpiada de Barcelona. Es de esperar que podamos preparar nuestro papel de anfitriones° olímpicos de forma adecuada. Ese papel tiene dos aspectos: primero la perfecta organización de los Juegos y segundo la participación deportiva española en ellos.

Dentro... within

hosts

Al Consejo Superior de Deportes le corresponde financiar la construcción del Estadio Olímpico, para lo cual se han aportado 5.400 millones de pesetas. Al mismo tiempo se aportaron 600 millones al año para financiar el Comité organizador.

Barcelona'92

Por otro lado la preparación de los equipos españoles que van a participar en la Olimpiada del 92 requiere un esfuerzo intensivo y que se le dediquen° todos los recursos técnicos y económicos necesarios.

devote

No hay nadie que dude que Barcelona 92 significa una gran oportunidad para la ciudad de mejorar, reorganizar y crear nuevos espacios urbanos. Una oportunidad que, sin duda, hay que aprovechar al máximo. Porque, aunque los actos de los Juegos Olímpicos sólo duran quince días, en realidad repre-

[1]El creador de los Juegos Olímpicos de la Era Moderna.

sentan ya todo un motor de desarrollo que motiva una gran ilusión° y es- *dream*
peranza en el futuro por parte de los ciudadanos. Otra de las consecuencias
más inmediatas de la designación como sede Olímpica es el gran impulso
económico, porque ¿qué mejor que unos Juegos Olímpicos para dar a conocer
Barcelona al mundo?

La rotación continental que mantienen los Juegos le concedió a Moscú
la cita de 1980. Las siguientes correspondían al continente americano (Los
Ángeles, 1984), y a Asia (Seúl, 1988), a fin de devolver la opción europea al
año 1992, y así fue. Si Barcelona vibró de entusiasmo desde el primer día,
no fue menor el que sintieron las demás ciudades españolas. En un país como
el nuestro tan dado a la contradicción, la candidatura de Barcelona a los
Juegos Olímpicos fue una demostración de unidad de toda España alrededor
de la Ciudad Condal,[1] como hacía muchos decenios que no se había dado.

Después de los problemas, convertidos en éxitos del deporte y del Olim-
pismo, que provocaron los reiterados boicoteos a los Juegos de Montreal en
1976, a los de Moscú en el año 1980, y a los de Los Ángeles en 1984, el
mundo del deporte y el Movimiento Olímpico encontraron en Seúl un marco
ideal.

La juventud de nuestros días, los pedagogos modernos, la mayoría de
los políticos contemporáneos, científicos y todas las demás profesiones, se
han dado cuenta de que el mejor y más útil camino para luchar contra los
males del mundo moderno es seguir el mensaje de paz, comprensión, diálogo
y fraternidad que se vive en los Juegos Olímpicos y que lleva consigo° la *that carries with it*
filosofía Olímpica.

Esperamos pues que todo esté listo en el momento en que la antorcha
olímpica llegue a Barcelona.

*Adaptado de la revista **Ronda** (España)*

Comente usted...

1. ¿Qué se celebra en Barcelona en 1992?
2. ¿Qué se conmemora en 1992 con respecto a las Olimpiadas?
3. ¿Por qué es el año 1992 un año clave para España?
4. ¿Qué eventos importantes se van a celebrar en España?
5. De todos los sucesos que van a celebrarse, ¿cuál es el más popular?
6. ¿Cuáles son los dos aspectos que Barcelona debe tener en cuenta en su papel de anfitrión?
7. ¿Qué requiere la preparación de los equipos españoles?
8. ¿Qué ventajas le va a traer a Barcelona el ser la sede Olímpica?
9. ¿Cómo reaccionó toda España al ser elegida Barcelona sede de los Juegos Olímpicos?
10. ¿Cuál es el mejor camino para luchar contra los males del mundo según el artículo?

---

[1]Nombre con que también se conoce a la ciudad de Barcelona.

Noticias de ayer: ¿Qué pasaba en el mundo durante las Olimpiadas?

Nacidos en las brumas° de la mito-logía, los Juegos Olímpicos son úni-cos. Concebidos por los griegos hace unos 3,000 años, los Juegos contenían principios válidos hoy en la búsqueda de la perfección. Hacer lo bueno mejor. Unir a los pueblos. Establecer nuevos límites en el terreno del esfuerzo° hu-mano.

mist

> No son las medallas lo importante, sino sacar lo mejor de uno mismo. Desde la época de los griegos, hombres y mujeres se han dedicado a este ideal.

effort

No son las medallas lo importante, sino sacar lo mejor de uno mismo. Desde que Coroebos de Elis se convirtió en el primer campeón olímpico conocido en Grecia, en el año 776 A.C., hombres y mujeres se han dedicado a este ideal.

Pero veamos qué hechos importantes ocurrían en el mundo durante la celebración de las Olimpiadas.

1896, Bonanza Creek, Canadá:
La ópera *La Bohème* de Puccini fue estrenada en Turín. En Francia se descubrió la radioactividad. En los Estados Unidos, Utah entró a formar parte de la Unión.

1900, París, Francia:
Se realizó el triunfal viaje del Zeppelin, precursor del nacimiento de la navegación aérea. En Francia se inauguró° el metro de París. En Viena, Sigmund Freud se hacía famoso con sus teorías del psicoanálisis.

was opened

1904, Saint Louis, Estados Unidos:
Se fundó la compañía Rolls Royce. Apareció la primera fotografía en color en un periódico. En este año se inventó la novocaína.

1908, Londres, Inglaterra:
La Ford produce 15 millones de coches poniendo el automóvil al alcance° del ciudadano de clase media. En el arte, Henri Matisse acuña° el término «Cubismo» para un estilo de pintura.

reach
coins

1912, Estocolmo, Suecia:
Se hundió° el Titanic. Se inauguró el primer servicio de correo entre París y Londres. En los Estados Unidos se estableció F.W. Woolworth & Co. y se lanzaron los coloretes° en cosmética.

was sunk
rouge

1920, Amberes, Bélgica:
Se creó la «Liga de las Naciones» —precursora de las Naciones Unidas. En los Estados Unidos se le otorgó° el voto a la mujer. La URSS[1] se convirtió en el primer estado comunista.

was granted

1924, París, Francia:
Se desarrolló una vacuna para ser usada contra la difteria. Se utilizó el helicóptero por primera vez. Se filmó la película «Los 10 Mandamientos»°.

commandments

1928, Amsterdam, Holanda:
Alexander Fleming descubrió el primer antibiótico, la penicilina. Walt Disney creó al Ratón Mickey.

1932, Los Ángeles, Estados Unidos:
Por primera vez se construyó una Villa Olímpica para albergar° a los atletas. En Estados Unidos se vivía la época de la Depresión.

house

1936, Berlín, Alemania:
El Rey de Inglaterra, Eduardo VIII, abdicó para casarse con la Sra. Simpson. Se publicó la novela «Lo que el viento se llevó»°. Fue en este año cuando por primera vez relevos de atletas llevaron la Antorcha Olímpica al Estadio.

Gone with the Wind

1948, Londres, Inglaterra:
En Bélgica se le otorgó el voto a la mujer. En Estados Unidos se abrió el primer restaurante McDonalds en San Bernardino, California.

1952, Helsinki, Finlandia:
Se introdujo la píldora anticonceptiva. Entró en servicio el primer jet comercial.

1956, Melbourne, Australia:
Elvis Presley se convirtió° en el Rey del Rock and Roll. Grace Kelly se casó con el Príncipe Rainiero de Mónaco.

became

1960, Roma, Italia:
El submarino americano «Tritón» realizó, sumergido, la primera vuelta al mundo. Se filmó la película «Psicosis» de Alfred Hitchcock.

1964, Tokyo, Japón:
Winston Churchill hizo su última aparición en el Parlamento Británico. Los Beatles llegaron al apogeo de su fama. En Japón el Tren Bala de Tokyo realizó su primer recorrido.

---

[1]Unión de Repúblicas Socialistas Soviéticas

1968, Ciudad México, México:
El Apollo 8 de los Estados Unidos recorrió la órbita de la Luna. Por primera vez una mujer fue designada para encender° la Llama° Olímpica. A través de satélites se televisaron a nivel mundial los Juegos Olímpicos.

to light / the flame

1972, Munich, Alemania:
En un ataque terrorista murieron asesinados once atletas israelitas. «Texas Instruments» lanzó la primera calculadora de bolsillo. Se desarrolló la droga «Cyclosporin», que preparó el camino para cientos de operaciones de trasplante.

1976, Montreal, Canadá:
El avión Concorde comenzó a dar servicio. Murió el multimillonario Howard Hughes. El sueco Björn Borg, a los 20 años, ganó el título de campeón de tenis en Wimbledon.

1980, Moscú, Rusia:
Los atletas norteamericanos no compitieron en estas Olimpiadas. La viruela fue oficialmente erradicada y comenzó a desarrollarse una droga milagrosa contra el cancer: el Interferón.

1984, Los Ángeles, Estados Unidos:
La Unión Soviética boicoteó las Olimpiadas, pero compitieron más naciones que nunca antes, incluyendo la República Popular China, que participó por vez primera.

1988, Seúl, Corea del Sur:
Ronald Reagan y Mikhail Gorbachev se reunieron en Moscú. George Bush fue electo presidente de los Estados Unidos. En la Unión Soviética se aprobaron° importantes reformas políticas.

were approved

Comente usted...

1. ¿En qué año se descubrió la radioactividad?
2. ¿En qué año se inventó algo para ayudar a los pacientes de los dentistas?
3. ¿En qué año se puso al alcance de la clase media el automóvil?
4. ¿Por qué es importante el año 1920 para la mujer norteamericana?
5. ¿En qué año se reunieron los jefes de las dos grandes potencias?
6. ¿Por qué es importante para el mundo de la medicina el año 1928?
7. ¿Qué pasó en San Bernardino California en 1948?
8. ¿En qué año recorrió Apollo 8 la órbita de la Luna?
9. ¿Cuál fue un año trágico en el mundo de las Olimpiadas? ¿Por qué?
10. ¿En qué años fueron boicoteadas las Olimpiadas? ¿Por quiénes?
11. ¿En qué año se creó la «Liga de las Naciones»?
12. ¿En qué año nació el Ratón Mickey?

Dieta para atletas

Por la condición heroica de los participantes olímpicos, uno duda que su dieta sea común. Quienes a duras penas son capaces de caminar la distancia desde el televisor a su automóvil prefieren creer que el maratoniano° debe su resistencia a los aditivos que agrega a su dieta, y la contemplación de esos gigantes° musculosos, que lanzan° el disco o la jabalina cerca del hectómetro, nos avergonzaría de no pensar que lo deben todo a que se comen cada mañana medio ternero.°

marathoner

giants / throw

calf

> El atleta capaz de obtener medallas no es un superhombre, sino un hombre normal, y habrá que alimentarlo mejor y no alimentarlo más.

Esos esfuerzos sobrehumanos son eso, sobrehumanos y por lo tanto, propios de los dioses del Olimpo. No obstante, los dioses fueron hechos a nuestra semejanza° y si nos creemos capaces de emular algunas de sus hazañas;° para ello, nada como el entrenamiento y una dieta conveniente.

image
exploits

Habrá que confiar, pues, en los dietistas, entrenadores° y nutriólogos, quienes nos dicen que el cuerpo humano no sólo se mantiene y se conserva día a día, sino que se edifica, y así podremos moldearlo de acuerdo con nuestros deseos. Para ello, la dieta será de uno u otro tipo, y tendrá más o menos calorías y más o menos proteínas.

trainers

Las medidas y el peso del hombre o de la mujer tipo están en las tablas, y la ciencia no cree que hasta un 20 por ciento de más en el peso sea patología

El deportista debe recibir líquidos antes, durante y después del ejercicio prolongado.

que nos deba preocupar. Pero el atleta capaz de obtener medallas no es un superhombre, sino un hombre normal, y habrá que alimentarlo mejor y no alimentarlo más. Todas las calorías que exceden el gasto diario engordan, no fortalecen,° y las proteínas, cuya misión primordial es formar tejidos,° hormonas o enzimas, tienen un límite de asimilación, por encima del cual se queman como una caloría más (más caras, eso sí) o se transforman en tejido adiposo,° con el agravante de que la eliminación de los excedentes, transformados en urea, es un trabajo adicional y peligroso para la salud, que se le encomienda° a los riñones.

make stronger / tissues

fatty tissue

one gives

Lo que significa es que lo importante no es comer más, y que la imagen de esos levantadores de piedras,° a los que se les ve comerse tres kilos de carne, no es aplicable al hombre de la calle, pues esos atletas de casi dos metros y más de cien kilos de peso hacen un gasto diario de casi 8.000 calorías y son capaces de eliminar todo lo que se les pone delante.°

stones

in front

El secreto es calcular el gasto real de calorías que habrá de hacerse en el esfuerzo adicional que exije la preparación física, y elegir una alimentación rica en hidratos de carbono,° moderada en grasas y suficiente en proteínas, que deberán ser de alto valor biológico para ser utilizadas en los tejidos.

carbohydrates

La ciencia puede fabricar biotipos más adecuados al esfuerzo atlético que el hombre de la calle, pero, aparte de que el reglamento° olímpico no los admite, los campeones son hombres normales.

set of rules

De la revista **Tiempo de hoy** *(España)*

Comente usted...

1. ¿Qué duda uno sobre la dieta de los atletas?
2. ¿Qué creen con respecto a los atletas las personas que viven una vida muy sedentaria?
3. ¿Qué es necesario para emular las hazañas de los dioses del Olimpo?
4. ¿Qué nos dicen los dietistas, entrenadores y nutriólogos?
5. ¿Cuál es la diferencia entre «alimentar más» y «alimentar mejor»?
6. ¿Cuál es la diferencia entre los levantadores de piedras y el hombre de la calle en cuanto a la alimentación?
7. ¿Cuál es el secreto de una buena dieta?
8. ¿Qué puede hacer la ciencia hoy en día?

Ley represiva de delitos contra el deporte

Es necesario crear una ley represiva de los delitos contra el deporte para protegerlo legalmente contra sus numerosos y temibles° enemigos.

Las continuas denuncias de irregularidades y corrupción en el desarrollo de las actividades deportivas perturban el orden público y adquieren grandes proyecciones de escándalo al reflejarse en la prensa diaria y en las revistas deportivas.

En la mayoría de los casos, es probable que el deportista actúe como agente pasivo de la corrupción y sólo pase a ser autor o partícipe cuando acepta un soborno o cuando consiente en tomar drogas o estimulantes.

dreadful

Esta situación se repite periódicamente y hasta hoy no se ha encontrado una solución efectiva que resuelva estas irregularidades y corrupciones que atentan contra la institución deportiva.

Por lo general las diferentes organizaciones deportivas tienen un organismo interno encargado de corregir disciplinariamente toda desviación de la conducta deportiva, pero esto no ha resuelto el problema porque para las personas que cometen este tipo de delito nada puede significar la amenaza de correcciones disciplinarias, puramente deportivas o morales.

Lo malo es que esos individuos encuentran muchas veces un fácil campo de acción en algunos jugadores y en ciertos dirigentes que, aunque reducidos en su número, causan un enorme daño al deporte al despertar la desconfianza pública sobre la legalidad de las competiciones deportivas.

Para ilustrar este tema de la corrupción en el deporte, nada mejor que transcribir y analizar algunos casos:

1. Intercambio de un beneficio económico por una ventaja de carácter deportivo.
2. Quebrantamiento° de la ética deportiva, originada por factores como la amistad y el amor. *violation*
3. Animosidad y rivalidad deportiva que influencia el resultado de algunas contiendas° deportivas. *events*
4. La vanidad y la venalidad en el deporte.
5. El soborno y la gloria deportiva. La vanidad de triunfar en la elección interna de un club, que por lo general se refleja en el resultado irregular de algunas competencias.

En la mayoría de los casos, es probable que el deportista actúe como agente pasivo de la corrupción y sólo pase a ser autor o partícipe cuando acepta un soborno o cuando consiente en tomar drogas o estimulantes.

Dada la importancia que en este momento tiene el deporte como manifestación de una actividad colectiva, el estado tiene la obligación de dictar leyes protectoras, reglamentarias de las actividades deportivas y también normas° represivas para quienes las violen. *rules*

*De la revista **Arco** (Colombia)*

Comente usted...

1. ¿Por qué es necesario proteger legalmente el deporte?
2. ¿Por qué no son efectivas las correcciones disciplinarias en los delitos deportivos?
3. ¿Por qué ocasionan los delitos de tipo deportivo daños enormes al deporte?
4. De los casos de corrupción citados en el artículo, ¿cuáles considera Ud. más serios?
5. ¿Cuándo es el deportista autor del delito deportivo?
6. ¿Qué debe hacer el estado para evitar la corrupción deportiva?

Desde su mundo

1. ¿Practica Ud. algún deporte? ¿Cuál?
2. ¿Cuáles son los deportes más populares entre los norteamericanos?
3. ¿Quiénes son los tenistas norteamericanos más famosos?
4. Cuando Ud. era niño(a), ¿a qué figuras del deporte admiraba más?
5. En las últimas Olimpiadas, ¿qué deportes le interesaron más?
6. ¿Qué hecho (event) importante ocurrió en su vida el año de las últimas Olimpiadas?
7. ¿En qué deporte cree Ud. que hay más corrupción?
8. ¿Qué correcciones disciplinarias impondría Ud. en casos de delitos contra el deporte?
9. ¿Cree Ud. que es una buena idea que el deporte forme parte de los programas educativos?
10. ¿Le gustaría a Ud. ser jugador(a) profesional? ¿Por qué?

VOCABULARIO △

NOMBRES

el **acontecimiento,**
    evento event
la **amenaza** threat
la **amistad** friendship
el (la) **anfitrión(ona)** host,
    hostess
la **conducta** behavior
el **daño** damage
el **delito** crime
la **denuncia** charge,
    accusation
el **deporte** sport
la **desconfianza** distrust
el **deseo** desire
los **dioses** gods

el (la) **entrenador(a)** trainer
el **entrenamiento** training
el **esfuerzo** effort
la **esperanza** hope
el **gasto** expense
el **juego** game
el (la) **jugador(a)** player
la **medida** measure
la **paz** peace
la **prensa** press
los **riñones** kidneys
la **salud** health
el **ser humano** human being
el **soborno** bribe
la **ventaja** advantage

VERBOS

alimentar to feed
avergonzarse (o → ue) to be
    ashamed
confiar to trust
durar to last

engordar to fatten (to gain weight)
luchar to fight, to struggle
quemar to burn
significar to mean

ADJETIVOS

capaz capable
deportivo(a) related to sports
encargado(a) attendant

mundial world
peligroso(a) dangerous
útil useful

EXPRESIONES

a duras penas barely

de acuerdo con according to

Palabras y más palabras

Las palabras que aparecen en las selecciones... ¿forman ya parte de su vocabulario? ¡Vamos a ver!

Dé el equivalente de las siguientes palabras y expresiones:

1. transgresión de la ley
2. relación entre amigos
3. opuesto de *guerra*
4. persona que juega
5. evento
6. relativo a los deportes
7. nombre que corresponde al verbo *amenazar*
8. dinero que se da o se promete para inducir a alguien a hacer algo ilegal
9. Neptuno, Eros, Venus, etc.
10. nombre que corresponde al verbo *esperar*
11. persona
12. nombre que corresponde al verbo *jugar*
13. persona que da una fiesta o reunión
14. con mucha dificultad
15. relativo al mundo
16. acusación
17. opuesto de *confianza*
18. tenis, fútbol, básquetbol, etc.
19. órgano del cuerpo donde se purifica la sangre
20. dar de comer
21. según
22. que tiene capacidad
23. persona que entrena

Actividades especiales

A. *Háblenos de usted...*

Termine las siguientes frases según su propia opinión o experiencia.

1. Para mí el tenis es un deporte que...
2. Para mí lo que puede unir a todo el mundo es...
3. No cabe duda de que...
4. Para principios del próximo año, yo...
5. Una oportunidad que debemos aprovechar es...
6. Una ventaja de ser deportista es...
7. Para dar a conocer nuestra universidad yo...
8. Una fecha importante en mi vida es...

9. Por lo general, las organizaciones deportivas...

10. Yo creo que, para combatir la corrupción hay que...

11. La juventud de nuestros días...

12. Para tener éxito en los deportes hay que...

13. Me gustaría compartir la fama con...

14. Para mí uno de los males del mundo es...

15. Yo creo que la corrupción deportiva es una amenaza para...

B. *La hora de los deportes*

La clase se dividirá en varios grupos. Cada grupo se encargará de preparar noticias sobre un deporte determinado. Después de preparadas las noticias, se las presentarán al resto de la clase. Esto se hará en forma de un programa de televisión. Deportes para comentar:

Grupo 1: Béisbol

Grupo 2: Fútbol

Grupo 3: Fútbol americano

Grupo 4: Tenis

Grupo 5: Baloncesto

Grupo 6: Boxeo

Grupo 7: Los próximos Juegos Olímpicos

Grupo 8: Otras posibilidades

Composición

Imagínese que Ud. es periodista y tiene que hacer una entrevista para publicarla en la página deportiva de su periódico. Seleccione al deportista que considere más famoso y prepare una lista de las preguntas que Ud. le haría y de las posibles respuestas que él o ella haría.

A ver qué dice aquí

Con un compañero prepare preguntas basadas en los siguientes anuncios.
Háganselas luego al resto de la clase.

XV GRAND PRIX
VILLA DE MADRID
TROFEO
Marlboro

Club de Campo
Villa de Madrid

Del 26 de Abril al 4 de Mayo:
NYSTROM, JARRYD, AGUILERA, PECCI..
y más figuras del tenis mundial, reunidas para este
acontecimiento deportivo.

VENTA DE ENTRADAS: Club de Campo Villa de Madrid.
GALERIAS: En todos los Centros de Madrid. Federación de Tenis de Madrid.

PRECIOS DESDE 450 pts.

DEPORTES PARA **VALENCIA**

DESEAMOS ENTRAR EN CONTACTO CON
hombres jóvenes interesados en
formarse en la venta de artículos
para deportes

. . .

OFRECEMOS:
— Preparación a cargo de la empresa para su
  mejor desarrollo futuro.
— Seriedad y solvencia garantizadas.
— Integrarse en IMPORTANTE CADENA DE
  TIENDAS e iniciar su carrera profesional en
  ellas.
— Un puesto de trabajo con posibilidad de
  promoción.

PRECISAMOS:
— Formación a nivel BUP ó similar.
— Servicio Militar cumplido.
— Edad entre 21 y 26 años.
— Practicantes habituales de alguno de los
  deportes indicados.
— Interés por formarse como futuros vendedores
  en estos artículos.
— Residir en la zona.

Llamar, para concertar entrevista, los días
19, 20 y 21 de Noviembre, de 10 a 14 horas,
al teléfono 351 48 36 de Valencia.

UNA ADIVINANZA

No tengo pies
y ando;
tengo manos
y no como.

Pepe Vega y su mundo

Costumbres, tradiciones y supersticiones

8

Tus garabatos te delatan

Tus garabatos dicen tanto sobre tu personalidad como tu letra. Pocas personas garabatean° de la misma manera, pero hay similitudes que revelan secretos de la personalidad.

> Si te has puesto a dibujar
> líneas rectas, entonces eres una
> persona directa y muy franca.

scribble

   Aquí publicamos algunos de los dibujos más frecuentes y su significado. No necesitan ser exactos, pero sí semejantes. Haz unos garabatos y compáralos con los que ofrecemos aquí.

1. Si garabateaste en círculos, entonces eres soñador.° Tú pintas sin fijarte, pero siempre terminas en el mismo lugar.

dreamer

2. Si tienes tendencia a usar tu propio nombre como el centro del dibujo, entonces eres probablemente un poco vanidoso.

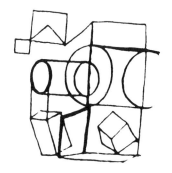

3. Si acabas de garabatear así, con figuras geométricas organizadas en forma simétrica entonces planeas bien las cosas y probablemente piensas de manera sólida y constructiva. No crees en tomar riesgos.

4. ¿Dibujaste una combinación de curvas y flores? Entonces eres de carácter susceptible, pero artístico. Vives en tu propio mundo y tienes sentimientos muy nobles.

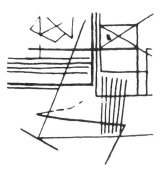

5. Si te has puesto a dibujar líneas rectas, entonces eres una persona directa y muy franca. Tienes habilidades para llevar lo ideal a lo práctico. Eres muy franco, pero debes tener en cuenta los sentimientos de los demás.

6. ¿Has hecho garabatos en forma de espirales que suben en vez de bajar? Entonces probablemente eres ambicioso. Siempre miras hacia adelante y hacia arriba. Personas como tú han construido imperios.

7. ¿Has dibujado armas y objetos como éstos? Entonces eres una persona de acción, que prefiere la aventura. Te gusta el peligro y puedes ser agresivo. Ten cuidado.

Adaptado de **Revista Vanidades** *(Panamá)*

Comente usted...

¿Qué dicen los siguientes garabatos sobre su personalidad?

1. Si sus garabatos tienen forma de espiral ascendente...
2. Si dibuja armas...
3. Si Ud. dibuja en círculos...
4. Si dibuja una combinación de curvas y flores...
5. Si Ud. escribe su nombre como centro de su dibujo...
6. Si garabatea con figuras geométricas...
7. Si dibuja líneas rectas...

¿QUE DICEN TUS MANOS?

En sus líneas están escritos

tu carácter, tus aptitudes y

tu destino, por ellas sabrás mucho de ti

Celebran los Sanfermines en Pamplona

Este lunes, 6 de julio, dio comienzo° en Pamplona (provincia de Navarra, norte de España) la feria de San Fermín, una de las fiestas populares más antiguas —data del siglo XVI— y más célebres del mundo.

> Delante o alrededor de los toros corren cientos, a veces miles, de aficionados, que año tras año se juegan la vida en una accidentada carrera.

Durante más de siete días y siete noches, hasta el 14 de julio, la gente de Pamplona y sus huéspedes° del mundo entero° pierden la noción del tiempo, en bares y restaurantes o simplemente en la calle, donde todo un pueblo canta y baila.

Cada mañana a las ocho los muchachos de Pamplona disparan° un cohete° al pie de la cercana° calle de Santo Domingo y la ciudad entera queda en suspenso durante los dos minutos siguientes.

Dos minutos es, casi exactamente, el tiempo que los seis toros bravos que serán toreados por la tarde y los «mansos»° que los acompañan tardan en recorrer los 825 metros que hay entre los corrales en que pasaron la noche y la plaza de toros de Pamplona.

Es lo que se llama «El encierro»... Delante o alrededor de los toros corren cientos, a veces miles, de aficionados, que año tras año se juegan la vida° en una accidentada carrera.

began

guests / whole

shoot
flare / nearby

tame ones

se... risk their lives

Antes, la calle de Santo Domingo estaba reservada a carniceros y arte-sanos, que hacían pausa en ella camino de su trabajo.° Actualmente algunos jóvenes esperan allí a los toros, pero los más arriesgados° los esperan a la entrada del Coso, calle muy estrecha donde en la carrera a veces tropiezan, caen y hacen caer a los muchachos que vienen detrás hasta formar un enorme montón° de cuerpos, inmediatamente pisoteado° y corneado° por los toros.

El penúltimo° «encierro» —13 de julio— del pasado año fue trágico, pues dos jóvenes murieron. Otro resultó levemente° herido al ser atropellado por una de las bestias, que aunque no lo corneó, lo pisoteó. Desde 1924, los toros de la feria han matado a 13 personas.

Además de los famosos «encierros» hay otras cosas interesantes como la procesión del 7 de julio por la tarde donde miles de jóvenes con camisa y pantalón blancos y boina° y pañuelos rojos bailan sin parar al compás° de temas folklóricos que toca la banda municipal. En la procesión van también los «Gigantes» y los «Cabezudos»[1] que persiguen a los niños.

Por la noche, nadie o casi nadie duerme. Las «Peñas» desfilan° con sus grupos musicales y en bares y tabernas la gente canta y bebe vino tinto. A las seis de la mañana, hay que empezar a prepararse para el siguiente «en-cierro». A las siete, las bandas de música despiertan a toda la ciudad.

*Del **Diario de las Américas** (Miami)*

camino... on their way to work
brave ones

pile / stepped on / gored / next-to-last
slightly

beret / rhythm

parade

Comente usted...

1. ¿Dónde y cuándo se celebra la feria de San Fermín?
2. ¿Cuánto tiempo dura la feria?
3. ¿Celebran la feria de San Fermín sólo los españoles?
4. ¿Qué hacen los jóvenes de Pamplona todas las mañanas durante la feria?
5. ¿Cuánto tiempo demoran los toros en llegar a la plaza de toros y qué distancia recorren en ese tiempo?
6. ¿Qué se hace durante el «encierro»? ¿Es peligroso?
7. Además de los «encierros», ¿qué otras cosas se hacen para celebrar la feria de San Fermín?
8. ¿Qué hace toda la gente durante la feria de San Fermín?

---

[1]Muñecos de gran tamaño que desfilan en la procesión.

El Corpus de Cuzco

En la transparente atmósfera cuzqueña todavía vive el espíritu de los Incas. Aquí, en el corazón de los Andes, a una altitud de 3.400 metros —en la que los «costaleros»[1] sevillanos no darían más de dos pasos— los peruanos de hoy, herederos° de la sangre del Imperio Inca y de la cultura del Imperio español, sacan las imágenes en procesión para celebrar una de las fiestas religiosas más importantes de la ciudad, el Corpus Christi.

La antigua capital del fabuloso Imperio Inca, Cuzco, conserva todavía, en gran medida, su antiguo esplendor. Hasta nosotros han llegado muchísimos recuerdos de lo que fue el centro del imperio más extenso de la América precolombina y que, junto con algunos de los mejores ejemplos del arte colonial español, hacen de esta ciudad una de las más hermosas del mundo.

Pero la arquitectura cuzqueña no es lo único que evoca esos siglos lejanos, ya que la mayoría de sus habitantes son descendientes directos de aquéllos que levantaron el imperio incaico. Por eso no es extraño encontrar todavía ceremonias religiosas y fiestas folklóricas que reproducen fielmente las que se celebraban hace más de quinientos años.

Muchas son las que tienen lugar durante todo el año y algunas, como el Inti Raymi, son famosas en todo el mundo. Otra de las más importantes es la conmemoración del día del Corpus Christi, que siempre ha atraído a gran número de visitantes de todos los puntos de Perú.

El Corpus de Cuzco es una fiesta de características propias, donde se mezclan elementos cristianos y andinos

> El Corpus de Cuzco es una fiesta de características propias, donde se mezclan elementos cristianos y andinos para dar como resultado un ejemplo fascinante de religiosidad popular.

heirs

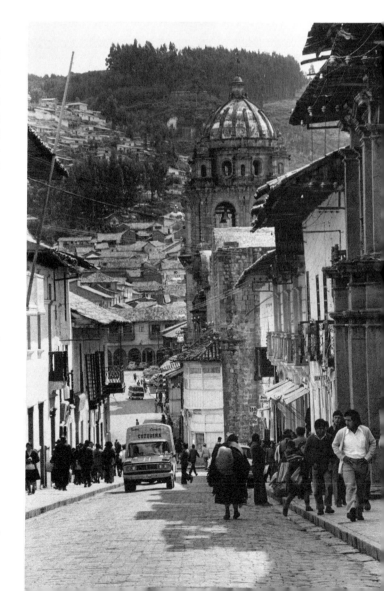

---

[1]Los hombres que llevan en hombros las imágenes religiosas en las procesiones.

para dar como resultado un ejemplo fascinante de religiosidad popular.

La celebración del Corpus ha sustituido a otra fiesta mucho más antigua en Cuzco. En los tiempos del Imperio Inca, en una fecha señalada, las momias de los que habían sido sus reyes —los que habían poseído el título de *Inca,* nombre que luego se extendió a toda la población— eran sacadas de sus palacios y llevadas en procesión por las calles de la ciudad, tal como nos lo cuentan las crónicas de Indias.

Estas fiestas tenían una importancia extraordinaria, y Pedro de Cieza de León, en *El señorío de los incas,* afirma al describirlas que «tenemos por muy cierto que ni en Jerusalén, Roma, Persia, ni en ninguna parte del mundo se juntaba en un lugar tanta riqueza de metales de oro y pedrería° como en esta plaza del Cuzco cuando estas fiestas y otras semejantes se hacían.»

precious stones

Después de la conquista, hasta el día de hoy, en la víspera° de la fecha del Corpus se trasladan° a la catedral las imágenes de las vírgenes y de los santos patronos de las iglesias de Cuzco, y el jueves santo son sacadas todas para la impresionante procesión que tiene lugar en la Plaza de Armas.

eve
are moved

Algunas de estas imágenes son auténticas obras de arte, pero, sobre todo, se destacan por la riqueza que las adorna, en ocasiones varios cientos de kilos de plata maciza°.

solid

Tanto en la preparación —que dura todo el año— como en la celebración del Corpus de Cuzco, están presentes los principios que siempre han definido la organización social andina: el dualismo, la cohesión, la rivalidad, y la reciprocidad. Todos ellos han sobrevivido, con muy pocas diferencias, desde los días de gloria del Imperio Inca.

*Adaptado de la revista **Ronda** (España)*

Comente usted...

1. ¿Dónde y a qué altitud está situada la ciudad de Cuzco?
2. ¿Quiénes son los antepasados (*ancestors*) de los peruanos?
3. ¿Qué sabe usted sobre la ciudad de Cuzco?
4. ¿Qué es el Inti Raymi?
5. ¿Cómo es la fiesta del Corpus de Cuzco?
6. ¿Quiénes eran los Incas en la antigüedad?
7. ¿Qué hacían los indios de la antigüedad con las momias de sus reyes?
8. ¿Qué hacen en Cuzco en la víspera de la fecha del Corpus?
9. ¿Qué pasa el jueves santo?
10. ¿Por qué se destacan sobre todo las imágenes de los santos?
11. ¿Cuánto tiempo dura la preparación para la fiesta del Corpus Christi?
12. ¿Qué elementos han definido siempre la organización social andina?

Desde su mundo

1. ¿En qué ocasiones se pone a garabatear la gente generalmente?
2. ¿Qué fiestas se celebran en los Estados Unidos que son típicas de este país?
3. ¿Qué hacen los niños norteamericanos el día de las brujas (*Halloween*)?
4. ¿Cómo celebran los norteamericanos el 4 de julio?
5. ¿Qué ciudades de los Estados Unidos tienen celebraciones especiales? ¿Qué hacen en esas ocasiones?
6. ¿Cuáles son algunas tribus indias de los Estados Unidos? ¿Qué sabe usted de ellas?
7. ¿Qué tradiciones de origen religioso existen en los Estados Unidos?
8. ¿Puede usted nombrar algunas características de la sociedad norteamericana?

VOCABULARIO △

NOMBRES

el (la) **aficionado**(a) fan
el **carnicero** butcher
el **círculo** circle
el **garabato** scribble, scrawl
el **huésped** guest
la **obra de arte** work of art
el **paso** step

el **recuerdo** memory
el **rey** king
la **riqueza** wealth
la **sangre** blood
el (la) **soñador**(a) dreamer
el **título** title
el **toro** bull

VERBOS

atropellar to run over
colocar to place
fijarse to notice
juntarse to come together, to mix
  with

mezclar(se) to mix
sobrevivir to survive
tardar to delay, to take (*ref. to
  time*)
trasladar to transfer, to move

ADJETIVOS

ambos(as) both
célebre famous
herido(a) wounded
propio(a) own

recto(a) straight
santo(a) holy
semejante, similar similar
vanidoso(a) vain

OTRAS PALABRAS Y EXPRESIONES

en ninguna parte nowhere
en una fecha señalada at a given
  date
fielmente faithfully
junto con together with

lo único the only thing
mirar hacia adelante to look ahead
todavía still
ya que since

Palabras y más palabras

Las palabras que aparecen en las selecciones... ¿forman ya parte de su vocabulario? ¡Vamos a ver!

Dé el equivalente de las siguientes palabras y expresiones:

1. que tiene una herida
2. lo que hacemos cuando garabateamos
3. animal que se usa en una corrida
4. líquido que corre por las venas
5. persona que sueña
6. los dos
7. similar
8. poner
9. que tiene mucha vanidad
10. figura geométrica
11. famoso
12. una pintura de Picasso, por ejemplo
13. en ningún lado
14. con fidelidad
15. invitado(a)

Actividades especiales

A. Complete las siguientes oraciones basándose en su opinión personal:

1. Yo tengo tendencia a...
2. Soy de carácter...
3. Yo tengo habilidad para...
4. Yo siempre tengo en cuenta...
5. Año tras año, yo...
6. Una vez resulté herido(a) cuando...
7. Yo pierdo la noción del tiempo cuando...
8. Para mí es muy importante...
9. Debo empezar a prepararme para...
10. Yo voy a dedicar mi vida a...
11. No es raro entre mis amigos...
12. Yo a menudo...
13. Yo tengo hermosos recuerdos de...
14. Yo soy descendiente de...
15. Mis amigos afirman que yo...

B. La clase se dividirá en grupos de dos para tomar este «test» sobre las supersticiones. Lean y contesten las siguientes preguntas y después decidan cuál es el más supersticioso de los dos.

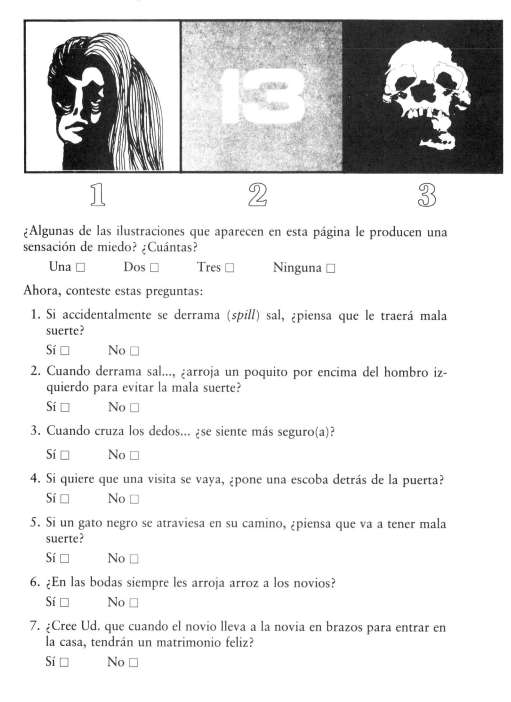

¿Algunas de las ilustraciones que aparecen en esta página le producen una sensación de miedo? ¿Cuántas?

    Una ☐   Dos ☐   Tres ☐   Ninguna ☐

Ahora, conteste estas preguntas:

1. Si accidentalmente se derrama (*spill*) sal, ¿piensa que le traerá mala suerte?

   Sí ☐   No ☐

2. Cuando derrama sal..., ¿arroja un poquito por encima del hombro izquierdo para evitar la mala suerte?

   Sí ☐   No ☐

3. Cuando cruza los dedos... ¿se siente más seguro(a)?

   Sí ☐   No ☐

4. Si quiere que una visita se vaya, ¿pone una escoba detrás de la puerta?

   Sí ☐   No ☐

5. Si un gato negro se atraviesa en su camino, ¿piensa que va a tener mala suerte?

   Sí ☐   No ☐

6. ¿En las bodas siempre les arroja arroz a los novios?

   Sí ☐   No ☐

7. ¿Cree Ud. que cuando el novio lleva a la novia en brazos para entrar en la casa, tendrán un matrimonio feliz?

   Sí ☐   No ☐

8. ¿Trata siempre de no pasar por debajo de una escalera?

   Sí ☐   No ☐

9. ¿Toca madera cuando desea que algo le salga bien?

   Sí ☐   No ☐

10. Si se le rompe un espejo... ¿cree que va a tener siete años de mala suerte?

    Sí ☐   No ☐

11. ¿Lleva con Ud. una pata de conejo para que le dé buena suerte?

    Sí ☐   No ☐

12. Los viernes 13... ¿toma siempre precauciones?

    Sí ☐   No ☐

13. ¿Cree Ud. que abrir un paraguas dentro de la casa trae mala suerte?

    Sí ☐   No ☐

PUNTUACIÓN

En la pregunta A, anote 1, 2 o 3 puntos, según las ilustraciones que le produjeron miedo. Y 1 punto por cada «Sí» que haya contestado a las 13 preguntas restantes.

RESULTADOS

0–3: Usted no es una persona supersticiosa, pero algunos de sus hábitos vienen de viejas creencias. Esto es porque ciertas prácticas que fueron supersticiones en sus orígenes, son actualmente una costumbre social.

4–7: Esta puntuación la tienen generalmente las personas que se burlan de las supersticiones públicamente, pero que, por ejemplo, se ponen muy contentas si descubren que la habitación que le dan en un hotel no es la número 113.

8–10: En esta categoría están aquéllos que en muchas ocasiones se sienten limitados en sus acciones por tener arraigadas en su personalidad ciertas creencias absurdas.

11–13: Si obtuvo esta puntuación hay motivos para alarmarse. Esto indica que su visión de la vida va en contra de los conocimientos modernos, y es un impedimento para aceptar la realidad. Probablemente Ud. tiene también otras supersticiones que no aparecen en este «test».

Composición

Imagínese que Ud. va a dar una charla sobre El Día de Acción de Gracias (*Thanksgiving*), celebración típicamente norteamericana, para un grupo de estudiantes latinoamericanos. Prepare la charla siguiendo estos pasos.

1. Introducción
   Origen de esta celebración
2. Desarrollo
   a. Fecha en que se celebra esta fiesta
   b. Qué se hace ese día
   c. Tipo de comida que se sirve ese día
   d. Dé ejemplos de lo que su familia acostumbra a hacer en esta ocasión.
3. Conclusión
   Explique lo que esta fecha representa para Ud. y para la mayoría de los norteamericanos.

A ver qué dice aquí

Con un(a) compañero(a) prepare preguntas basadas en estos anuncios. Háganselas luego al resto de la clase.

UNA ADIVINANZA

?

Alto, altanero°   *arrogant*
gran caballero
capa dorada°   *golden*
y un gran sombrero.

Pepe Vega y su mundo

¿Símbolos del progreso...?

9

Vuelven a entrar en vigor las medidas de anticontaminación

Desde las cero horas de hoy, martes, ha entrado en vigor el primer bloque de medidas de emergencia contra la contaminación, debido al fuerte deterioro de la calidad del aire. Las medidas suponen unas restricciones que van desde la limitación del encendido de calefacción durante el período comprendido° entre las once de la mañana y las siete de la tarde, hasta la imposición de multas de 5.000 a 15.000 pesetas a vehículos que obstruyan el tráfico en cualquier punto de la zona contaminada, que es prácticamente todo el centro de la ciudad.

Desde las primeras horas de la mañana del lunes todas las estaciones destinadas al análisis de la pureza del aire mostraron datos bastante alarmantes.

contained

Si se mantiene la peligrosa situación del ambiente a la que se llegó ayer durante los dos días próximos, el Ayuntamiento° solicitará al Gobierno Civil la entrada en vigor del segundo paquete de medidas previsto° para tales situaciones. Desde las primeras horas de la mañana del lunes, prácticamente

municipal government / anticipated

todas las estaciones destinadas al análisis de la pureza del aire mostraron datos bastante alarmantes. Entre las dos y cuatro de la tarde mejoró la situación, pero las previsiones eran de que la contaminación volvería a aumentar y que incluso rebasaría° los niveles alcanzados por la mañana.

would go over

Lo cierto es que ayer, con sólo recorrer° el centro de la ciudad se podía notar una densa cortina de humo, señal evidente de la disminución° de la calidad del aire. Desde la carretera de La Coruña a la entrada de Madrid, podía verse la oscura nube, conocida como *smog*, envolviendo todos los edificios de la ciudad.

to go around

decrease

*Adaptado de **El País** (España)*

Comente usted...

1. ¿Por qué han entrado en vigor nuevas medidas contra la contaminación?
2. ¿En qué consisten las medidas?
3. ¿Qué hará el Ayuntamiento si se mantiene la situación del ambiente?
4. ¿Cuál fue la situación del ambiente el lunes?
5. ¿Qué se podía notar ayer al recorrer el centro de la ciudad?
6. ¿Qué podía verse desde la carretera de La Coruña?

El automóvil devora espacio y tiempo

En una proporción que crece año tras año, las grandes ciudades dedican una enorme parte de su espacio a atender, estacionar, hacer circular, vender, comprar y abandonar automóviles. La ciudad de Los Ángeles, en California, ha

> La isla de Manhattan utiliza la mitad de su superficie total para los automóviles.

sacrificado a los autos el setenta por ciento de su suelo.° Apenas un 30 por ciento —que todos los años encoge un poco más— queda para la gente. La isla de Manhattan utiliza la mitad de su superficie° total para la circulación y atención de los automóviles. En Europa, algunas ciudades se defienden todavía de la invasión. Amsterdam reivindica obstinadamente a la bicicleta; y la municipalidad, que no prohíbe nada, «molesta» a los automóviles todo lo que puede obstaculizándole el tráfico a lo largo de los viejos canales de la ciudad.

area

area

El automóvil, ¿hace ganar tiempo? Éste es el motivo que usualmente empuja a los compradores; pero este instrumento, considerado imprescindible para economizar tiempo en la vida moderna, devora en Europa entre tres y cuatro horas por persona y por día. Para realizar este cálculo, dos investigadores franceses, Dupuy y Robert, han sumado el promedio de tiempo invertido en ir de un lugar a otro, al tiempo que es preciso trabajar para pagar los gastos que un automóvil implica. Las horas necesarias para ganar el dinero equivalente al precio del auto, el permiso de conducir, el seguro, los gastos de garaje, el combustible°, los neumáticos, los repuestos, las revisiones y reparaciones normales, los gastos de estacionamiento y peaje° y las multas y los accesorios se agregan, así, al tiempo promedio° de los trayectos° recorridos. ¿No es absurdo dedicar tres o cuatro horas diarias al automóvil? «Trabajamos», dicen los autores, «una buena parte de nuestro tiempo para pagar el transporte al trabajo». *fuel / toll / average / routes*

Hoy en día se siente un notorio desprecio° por las caminatas.° Andar a pie es un comportamiento° extraño y anticuado, que habría que eliminar porque resulta antieconómico. Para la sociedad industrial contemporánea, el tiempo que uno pasa yendo° entre uno y otro punto es un «tiempo muerto». No da dinero: es inútil. *scorn / walks / behavior / going*

*Adaptado de **El País** (España)*

Comente usted...

1. ¿Qué efecto tiene el automóvil en las grandes ciudades?
2. ¿Qué pasa en Los Ángeles, California?
3. ¿Cómo se defiende Amsterdam de la invasión del automóvil?
4. Generalmente, ¿qué impulsa a los compradores a adquirir un coche?
5. Según Depuy y Robert, ¿qué tiempo de la vida de una persona consume el automóvil?
6. ¿Qué gastos tiene una persona para mantener un automóvil?
7. ¿A qué conclusión llegan Dupuy y Robert?
8. Según el artículo, ¿qué piensa la sociedad industrial contemporánea sobre la idea de andar a pie?

Turismo espacial: ¡Realidad en 1992!

Diez, nueve, ocho... tres, dos, uno... El conteo° termina y la nave°, impulsada por poderosos cohetes, despega verticalmente. Entre los pasajeros se hace un silencio absoluto. En menos de siete minutos, la nave entra en órbita... desde las pequeñas ventanillas, la Tierra ofrece un panorama de imponente° belleza. Los pasajeros no son astronautas entrenados con una misión científica; son los primeros turistas espaciales.

count / ship

imposing

> El primer viaje espacial de turismo tendrá lugar en 1992, y la empresa norteamericana que lo organiza anuncia una nueva era de turismo en órbita. Los asientos del primer vuelo ¡ya están vendidos!

¡HAGA SUS RESERVACIONES PARA EL PRIMER VUELO AL ESPACIO!

El espacio, al que muchos llaman «la última frontera» por conquistar, pronto se convertirá en una de las mayores atracciones turísticas. La empresa° norteamericana *Society Expeditions,* una agencia de excursiones a lugares poco conocidos, es la primera agencia de viajes que ya ha implementado un plan para lanzar° naves espaciales en expediciones estrictamente turísticas.

company

to launch

HACE TRES AÑOS QUE LA NAVE ESTÁ EN CONSTRUCCIÓN...

Society Expeditions, una vez que decidió cuál sería su programa de ventas para el futuro, se asoció con la *Pacific American Launch System* (PALS), una compañía que produce equipos para naves espaciales. La PALS, con su base establecida en California, está encargada de la construcción de la primera nave espacial para uso turístico.

Después de meses de intensa planificación, PALS comenzó su construcción hace tres años, y se espera que para 1992 pueda colocar en órbita a sus primeros veinte pasajeros. La nave, que llevará el nombre de Fénix E., medirá casi 35 metros de alto.

LA PREPARACIÓN PARA EL VUELO...

Los primeros turistas astronautas no tendrán que someterse° a un riguroso entrenamiento°, ni están obligados a usar trajes espaciales como los que hasta ahora hemos visto en los astronautas de la NASA. La preparación para el viaje consiste en estudiar el manual de vuelo, una visita a la nave, un simple examen físico... ¡y listos para despegar!

A las 7 de la mañana partirán° hacia el Fénix E. a través de una rampa especialmente construida. Una vez dentro de la espaciosa nave, los pasajeros tomarán sus asientos (¡todos con ventanas panorámicas individuales!) y se abrocharán° el cinturón de seguridad.

subject themselves
training

will leave

fasten

EL VUELO

La tripulación siempre incluirá a astronautas y a otros científicos expertos para calmar los nervios de los más ansiosos, sobre todo durante los primeros minutos.

¡Estos pasajeros estarán experimentando algo completamente nuevo: la sensación de cero gravedad. Los más osados° podrán desabrocharse el cin- _daring_
turón y flotar por el interior de la nave.

UN VIAJE HISTÓRICO... ¡POR 52.000 DÓLARES!

Estos vuelos no serán muy económicos. La _Space Travel Company_ indica que inicialmente costarán unos $52.000, pero a medida que estos vuelos se popularicen, los precios bajarán.

¿DESEA INCLUIR SU NOMBRE EN LA LISTA DE ESPERA...?

Todos los asientos disponibles para el primer vuelo espacial ya han sido reservados, y la lista de espera para otros vuelos crece día a día. Según encuestas recientes, muchos individuos no perderían la oportunidad de viajar al espacio, aunque sea por sólo doce horas.

El primer viaje oficial partirá el 12 de octubre de 1992. La agencia explica que se escogió esta fecha por su simbolismo. «De igual manera que Cristóbal Colón llegó a tierras americanas quinientos años antes, los pasajeros del Fénix E. también estarán dejando un legado° histórico al ser los primeros pasajeros que se aventuren en un viaje al infinito.»   legacy

¿Quiere hacer su reserva? En los Estados Unidos, llame al teléfono (206) 386–5801. ¡Recibirá su confirmación a vuelta de correo!

Adaptado de **Hombre** *(Panamá)*

Comente usted...

1. ¿Cuánto tiempo toma la nave para entrar en órbita?
2. ¿Qué ven los pasajeros desde las pequeñas ventanillas?
3. ¿Por qué llaman al espacio «la última frontera»?
4. ¿Qué tipo de excursiones hace la empresa norteamericana *Society Expeditions?*
5. ¿Qué plan ha implementado esta agencia?
6. ¿Qué sabe usted de la PALS?
7. ¿Qué va a pasar en 1992?
8. ¿Qué altura tendrá la nave?
9. ¿Qué clase de entrenamiento tendrán los primeros turistas que viajan al espacio?
10. ¿A quiénes incluirá siempre la tripulación del Fénix E.?
11. ¿Qué sensación completamente nueva experimentarán los pasajeros en la nave?
12. ¿Cuál será el precio del primer viaje espacial?
13. ¿Cómo sabemos que estos vuelos al espacio son muy populares?
14. El primer viaje espacial partirá el 12 de octubre. ¿Por qué?

Desde su mundo

1. ¿Qué medidas han tomado en la ciudad donde usted vive para combatir la contaminación del aire?
2. ¿Qué problemas causan los automóviles en la ciudad donde usted vive?
3. ¿Qué gastos le causa a usted su automóvil?
4. ¿Qué ventajas y desventajas tiene para usted el automóvil?
5. ¿Qué ventajas y desventajas tiene para usted andar a pie?
6. ¿Le gustaría a usted hacer un viaje al espacio? Explique su respuesta.
7. ¿Cree usted que los vuelos turísticos al espacio tendrán éxito? Explique su respuesta.
8. ¿Cree usted que algún día la gente vivirá en otros planetas?

VOCABULARIO △

NOMBRES

el **ambiente**   environment
la **belleza**   beauty
la **calefacción**   heating
el **cohete**   rocket
el (la) **comprador(a)**   buyer
la **encuesta**   survey
el **estacionamiento**   parking
el **gasto**   expense
el **humo**   smoke
la **medida**   measure
la **multa**   fine

la **nube**   cloud
el **permiso**   permit, license
  —**de conducir**   driver's
  license
el **repuesto**   extra, spare (i.e.,
  for parts of a car)
la **revisión**   check, check-up
el **seguro**   insurance
la **señal**   signal
la **tierra**   earth
la **tripulación**   crew

VERBOS

alcanzar   to reach
colocar   to put, to place
conquistar   to conquer
empujar   to push
encoger(se)   to shrink
esperar   to expect

estacionar, aparcar   to park
evitar   to avoid
medir (e → i)   to measure, to be
  . . . long or tall
sumar   to add

ADJETIVOS

disponible   available
espacial   space

poderoso(a)   powerful

OTRAS PALABRAS Y EXPRESIONES

a lo largo de   through, alongside
a vuelta de correo   by return mail
andar a pie   to walk
año tras año   year after year
de igual manera   in the same way

debido a   due to
entrar en vigor   to go into effect
es preciso   it is necessary
lo cierto es que   the truth is that
tener lugar   to take place

Palabras y más palabras

Las palabras que aparecen en las selecciones... ¿forman ya parte de su vocabulario? ¡Vamos a ver!

Complete las siguientes oraciones, usando las palabras del vocabulario.

1. Para conducir, necesito un _____.
2. Tuve un accidente, pero no me van a pagar los gastos porque no tengo _____.
3. Es necesario tomar _____ contra la contaminación del _____.
4. Andar a _____ es un buen ejercicio, pero lo _____ es que no siempre es posible.
5. A veces es _____ cerrar las fábricas _____ a la contaminación del aire.
6. Me dieron una _____ por estacionar mal mi coche.
7. Una nube de _____ cubre la ciudad.
8. Año _____ año _____ un poco más el espacio que queda para la gente.
9. Yo estoy seguro de que, a lo _____ de los años, muchas personas viajarán en naves _____.
10. Vengo temprano porque es difícil encontrar _____ para el coche.
11. El mecánico me hizo una _____ del coche y me dijo que necesitaba varias piezas de _____.
12. Para combatir la contaminación del aire, el encendido de la _____ se limitará a cinco horas por día.
13. Todas las secretarias están ocupadas. No hay ninguna _____ para hacer este trabajo.
14. Este humo es _____ evidente de que la contaminación está _____ niveles peligrosos.
15. Todos hablaban de la _____ y la inteligencia de la nueva Miss América.
16. Según una _____, la mayoría de la gente prefiere una familia pequeña.
17. La _____ del avión fue muy eficiente y amable.
18. Es una compañía grande y muy _____.
19. Te voy a mandar la carta a _____ de correo.
20. Los Juegos Olímpicos _____ lugar en distintas ciudades.

Actividad especial

La clase se dividirá en cuatro grupos: dos grupos discutirán las posibles soluciones al problema de la contaminación del aire, y los otros dos hablarán sobre las maneras de economizar energía. Cada grupo elegirá un líder que presentará a la clase las ideas de sus compañeros. Las mejores ideas se escribirán en la pizarra.

Composición

Escriba una composición imaginándose cómo será el mundo de sus hijos o nietos en el futuro:

1. Introducción
   Época en que vivirán mis hijos (nietos)
2. Desarrollo
   a. Cómo será la sociedad
   b. Cuánto habrá adelantado la medicina
   c. Facilidad de viajar
   d. Adelantos técnicos que facilitarán la vida de mis hijos (nietos)
3. Conclusión
   Por qué me gustaría (o no) ser parte de ese mundo

A ver qué dice aquí

Con un(a) compañero(a) de clase prepare preguntas basadas en el siguiente anuncio. Háganselas luego al resto de la clase.

UNA ADIVINANZA

?

Alto, alto como
un pino;
pesa menos que un
comino°.   *cumin seed*

Pepe Vega y su mundo

La violencia y el terrorismo

Las raíces de la violencia

La violencia es universal. Casi ninguna zona del mundo está libre de una de estas violencias: guerras por móviles materiales egoístas; competencia industrial inhumana; delincuencia creciente;° discriminaciones entre personas y grupos; enfrentamientos° entre países; desunión en el matrimonio y la familia.

> El término *violencia* designa algo exterior y manifiesto que proviene de una energía interior, que es ambigua y que se llama *agresividad*.

growing

confrontations

Los obispos norteamericanos, hablando sobre la criminalidad en los Estados Unidos, afirman: «En muchas de nuestras grandes ciudades donde el desempleo se aproxima a un 50 por ciento, el crimen ha llegado a ser la industria número uno.» Y añaden:° Se ha comprobado que existe «una relación entre el número de presos° y el desempleo». Y lo mismo puede decirse que el desempleo causa también los problemas de «la droga y el alcoholismo».

they add
inmates

Las leyes o las prisiones duras no solucionan el problema porque —por ejemplo— «la prisión deshumaniza y despersonaliza: la vida de la prisión le niega al individuo toda posibilidad de tomar decisiones y responsabilidades; ofrece, por el contrario, la ocasión de educarse en el crimen, en vez de rehabilitarse.

Las investigaciones han mostrado «que la criminalidad no sólo está causada por las ineptitudes personales, sino también por la compleja interrelación de fuerzas económicas y sociales.» Y la conclusión a que llegan estos obispos americanos es que «la vida penitenciaria no puede resolver estos problemas..., porque la prisión no ofrece más que un mensaje de impotencia y de ira colectiva».

EUROPA

Los obispos alemanes analizan que nuestra sociedad que fomenta «la fiebre de posesión y de consumo»; y estimula este deseo por medio de «promesas manipuladas», que conducen° en la mayoría de los casos a la «frustración». *lead*
Insisten en algunos puntos, como en la negativa educación que ha proporcionado la sociedad de consumo, del despilfarro°. A todo esto habría que *waste*
añadir el problema urbanístico, pues la angustia que producen las aglomeraciones°, el ruido y la falta de espacio causan también violencia. *crowds*

¿QUÉ DICE LA CIENCIA?

El término *violencia* designa algo exterior y manifiesto que proviene de una energía interior, que es ambigua y que se llama *agresividad.* Por eso un antropólogo como Montagú dice que «todos los impulsos son agresivos; pero es posible ser agresivo sin que uno sea hostil ni produzca conflictos, porque la agresividad puede ser cooperativa».

La sicología freudiana ha descubierto con claridad toda la complicación y fuerza de esa agresividad que es el motor de las violencias exteriores que sufrimos en el mundo actual. La primera comprobación° realista que hace *affirmation*
Freud es que «si nos dejáramos llevar por nuestros deseos inconscientes, seríamos una banda de asesinos», al menos en potencia.

El paro,° la desocupación o el ocio° sin meta° ni actividad, que padece *layoff / idleness / goal*
la sociedad, y en especial la juventud de una gran parte del mundo, fomentan y agravan esta frustración y la consecuente violencia. La sicología descubre así que «la frustración conduce siempre a alguna forma de agresión».

NUEVAS SOLUCIONES

La violencia no es una fatalidad para toda sociedad humana ni es parte de eso que tradicionalmente se ha llamado la naturaleza humana. Para combatirla, lo que hay que hacer es propugnar° para la sociedad futura una «utopía concreta», que sea realista y no trate de proponer soluciones mágicas ni superaceleradas.

propose

En este camino nuevo realista, hay que: (1) «educar para la paz»; (2) «educar contra la idolatría» de cualquier valor° exclusivista; (3) «basarse en una educación que aprecie lo positivo de la lucha no violenta», para poder convivir° mejor; (4) difundir° los conocimientos científicos sobre el cambio de la conducta humana, «mostrando medios más eficaces que la violencia»; (5) desarrollar una sociedad en pequeños grupos que evite el colosalismo deshumanizador.

value

live together / spread

Solamente así, valiéndonos de° todos los medios de influencia individuales y sociales, podremos hacer algo positivo para erradicar la violencia que estamos viviendo en el mundo, superior a la de cualquier otra época de la historia en opinión de varios especialistas.

utilizing

De la revista **Triunfo** *(España)*

Comente usted...

1. ¿Qué tipos de violencia cita el autor?
2. Según los obispos norteamericanos, ¿qué problemas causa el desempleo?
3. ¿Por qué no solucionan las prisiones duras el problema de la violencia?
4. Según los obispos alemanes, ¿qué fomenta nuestra sociedad?
5. ¿De qué problemas hablan los obispos alemanes?
6. ¿Cuál es la opinión de Montagú?
7. ¿Qué ha descubierto la psicología freudiana?
8. ¿Cuáles son algunas de las causas que frecuentemente fomentan y agravan la violencia?
9. ¿Qué soluciones propone el autor?
10. ¿Qué dicen algunos especialistas sobre la violencia actual?

Los mercaderes° del terror

merchants

Los terroristas están en todas partes y nadie puede decir, en el mundo de hoy, que puede escapar a sus actos de violencia...

No cabe duda alguna de que el terrorismo es un crimen y quienes lo fomentan, criminales. Pero la lucha de los terroristas no es por conseguir dinero, sino poder.

> Vivimos en una época de violencia, y los únicos que saben cómo sacar un calculado provecho de todo esto son los terroristas...

UNA HORRIBLE PESADILLA°

nightmare

Los Estados Unidos, a pesar de que tienen sus sofisticados cuerpos de inteligencia y policía, han sufrido en carne propia° el sabor° de las acciones

personally / taste

terroristas. A pesar de las inmensas medidas de seguridad que se emplean en toda la nación y de todos los controles de seguridad que debe atravesar° el viajero en los Estados Unidos antes de poder subirse a un avión, ningún pasajero deja de pensar qué pasaría si en su vuelo se levantaran «unos cuantos locos» y secuestraran el avión.

go through

UNA ERA DE VIOLENCIA

Vivimos en una era de violencia, y los únicos que saben cómo sacar un calculado provecho de todo esto son los terroristas, los mercaderes del terror. Ninguna de sus acciones son hechas al azar°, sino que cada una de ellas tiene un propósito bien definido.

by chance

Las técnicas y los armamentos de los terroristas han ido sofisticándose. Cada día que pasa, estos mercaderes del terror van mejorando las técnicas empleadas y el tipo de armas que utilizan. De las granadas y las ametralladoras° están pasando a los cohetes dirigidos° por rayos infrarrojos y algunos están ya empezando a utilizar material atómico, mientras otros dan sus primeros pasos en el proceso de la «guerra bacteriológica». Cuando estas dos últimas etapas° estén un poco más avanzadas, la acción terrorista no se limitará a la captura o secuestro de un edificio o un avión, sino que se podrá poner en peligro e incluso controlar ciudades enteras y por ellas el país completo.

machine guns / guided

stages

ARMAS ADICIONALES

Los grupos terroristas —principalmente los de izquierda— han demostrado que les es excesivamente fácil el lograr° presionar a los gobiernos occidentales. En la actualidad, los terroristas tienen a su favor un 80 por ciento de probabilidades de no ser capturados o muertos° durante una acción; un 60 por ciento de posibilidades de que sus demandas sean total o parcialmente aceptadas y un cien por ciento de que su acción conquiste la atención de todos los medios de comunicación y con ellos la publicidad que buscaban.

to be able

killed

POLÍTICA DE DETENTE

De todas las agencias de inteligencia occidentales, la mejor informada sobre las actividades terroristas es la *Mossad,* de Israel. A ésta la sigue la Agencia Central de Inteligencia de los Estados Unidos, y a continuación están las agencias de Alemania, Inglaterra y Francia.

Pero el fallo° principal que hay en todas ellas es que ninguna está capacitada para trabajar a un nivel internacional, mientras que las organizaciones terroristas —por medio de sus pactos y acuerdos con grupos radicales de diferentes países— cuentan con una perfecta red° internacional, lo que le permite no sólo recopilar° información sino también mover armas y explosivos de un punto° a otro del globo con una asombrosa facilidad.

failure

network
to compile
point

CINCO PUNTOS CLAVES°

key

Para los expertos en inteligencia —especialmente aquéllos especializados en terrorismo— la lucha contra el terrorismo internacional no es nada sencilla, y se puede centralizar en cinco puntos principales:

Primero: Las actividades terroristas internacionales representan poco menos que una «Tercera Guerra Mundial» no declarada.

Segundo: Una confederación de más de treinta organizaciones terroristas une los diversos países y regiones del mundo.

Tercero: El terrorismo internacional es una operación perfectamente planeada por un grupo de «cerebros» que se mantienen bien guardados.

Cuarto: El terrorismo es uno de los negocios más florecientes° desde un punto de vista económico.

flourishing

Quinto: Las organizaciones terroristas hacen un uso efectivo de la sicología de masa y utilizan a su antojo° la mayoría de los medios de comunicación deseosos del sensacionalismo.

whim

Adaptado de la revista **Réplica** *(Miami)*

Comente usted...

1. ¿Qué tratan de conseguir los terroristas?
2. ¿Qué preocupación tienen hoy en día las personas que viajan en avión?
3. ¿Cómo han ido sofisticándose las técnicas y los armamentos de los terroristas?
4. ¿Qué posibilidades de triunfo tienen los terroristas actualmente?
5. ¿Cuáles son las agencias de inteligencia mejor informadas hoy en día?
6. Según el artículo, ¿cuál es el fallo principal que tienen todas ellas?
7. ¿Quiénes dirigen el terrorismo internacional?
8. ¿Cuántas organizaciones terroristas hay en el mundo?

Los comandos extremistas

Al numeroso público que, a las 14:30[1] del 30 de diciembre, circulaba en las inmediaciones° de la calle de Irarrazaval en Santiago de Chile le fue difícil comprender qué ocurría. Un tiroteo intenso, gritos, y unos 20 individuos corriendo en distintas direcciones era

immediate vicinity

> Un tiroteo intenso, gritos, y unos 20 individuos corriendo en distintas direcciones era todo lo visible.

todo lo visible. Después se sabría: en una acción coordinada al segundo, comandos extremistas asaltaron tres sucursales° bancarias, mataron a dos carabineros° y a un guardia, hirieron a otras tres personas y huyeron con unos cinco millones de pesos.

branches
police

Era, literalmente, la culminación del año del terrorismo.

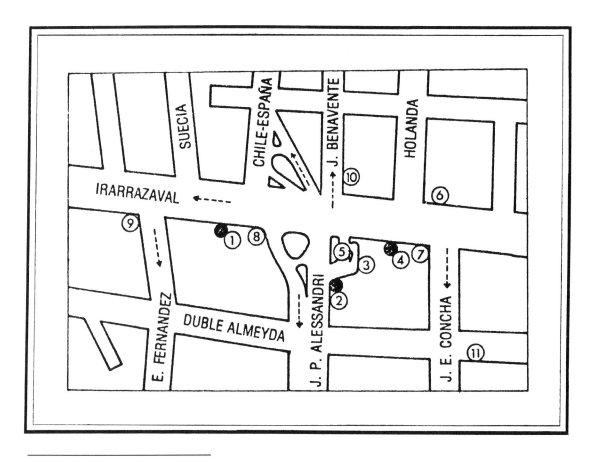

---

[1]Las 14:30 equivale a las 2:30 de la tarde.

LAS ACCIONES

Según los datos recogidos por *Hoy* entre los testigos del triple asalto los hechos° se desarrollaron así: *events*

1. Dos falsos carabineros, dos civiles y una mujer entran al Banco de Chile como si fueran a protegerlo y reducen° a los presentes.   *overcome*
2. Un falso carabinero, un civil y una mujer entran al Banco de Talca. En cuanto termina el atraco,° salen rompiendo las puertas con hachas.   *robbery*
3. Un falso carabinero y dos civiles entran en la central de Radiotaxis Andes-Pacífico y destruyen con hachas los equipos de radio.
4. Dos carabineros falsos y una mujer entran en el Banco de Concepción.
5. El vigilante° Juan Sandoval llega a pedir ayuda desde el Banco de Concepción y un falso carabinero lo hiere en el tórax.   *guard*
6. Dos carabineros se parapetan° en el local de Automotora La Palma para hacer frente° a los extremistas.   *find shelter* / *to face*
7. Desde un quiosco de diarios disparan los asaltantes. Es asesinado el carabinero Washington Godoy y herido José Vallejos.
8. El carabinero Daniel Leiva enfrenta a los extremistas que salen disparando desde el Banco de Chile y lo matan tan pronto como lo ven.
9. Desde esta esquina apoyan° la acción otros dos falsos uniformados.   *support*
10. Queda abandonado el taxi Chevette KP-593, secuestrado horas antes, con su conductor maniatado.° Los extremistas huyen arrojando° explosivos.   *tied up* / *throwing*
11. En la fuga,° los extremistas disparan° contra un auto. Las flechas indican las vías de huída.   *escape* / *shoot*

Adaptado de la revista **Hoy** *(Chile)*

Comente usted...

1. ¿Qué ocurrió el 30 de diciembre a las 14:30?
2. ¿Qué hicieron los comandos extremistas ese día?
3. ¿Qué sucede en el Banco de Chile y en el Banco de Talca?
4. ¿Qué sucede en la central de Radiotaxis Andes-Pacífico?
5. ¿Quiénes resultan muertos o heridos en las diversas acciones de ese día?
6. Según se indica en el dibujo, ¿por qué calles huyen los terroristas?

Desde su mundo

1. ¿Qué cree Ud. que Estados Unidos debe hacer en contra del terrorismo?
2. ¿Está Ud. de acuerdo en que el desempleo y la pobreza son causas de la violencia? ¿Por qué?
3. En los Estados Unidos, ¿es la violencia solamente de tipo político?
4. Dé algunos ejemplos de acciones violentas que han ocurrido en los Estados Unidos.
5. ¿Encuentra usted algún tipo de justificación a los actos terroristas? ¿Cuál? (¿Por qué no?)
6. ¿Qué medidas de seguridad toman los bancos hoy en día?
7. Cuando usted viaja en avión, ¿le preocupa la idea de que puedan secuestrarlo?
8. ¿Qué piensa usted de la Agencia Central de Inteligencia de los Estados Unidos?

VOCABULARIO

NOMBRES

el **acuerdo**   agreement
la **angustia**   anxiety
el **arma**   weapon
el **cerebro**   brain
el (la) **conductor**(a)   driver
el **desempleo**   unemployment
la **fiebre**   fever
la **flecha**   arrow
el **hacha**   ax
la **lucha**   struggle
  los **medios, recursos**   means
el **obispo**   bishop

la **paz**   peace
la **pesadilla**   nightmare
el **poder**   power
el (la) **preso(a)**   inmate
el **provecho**   benefit, profit
el **ruido**   noise
el **secuestro**   kidnapping, occupation
el (la) **testigo**   witness
el **tiroteo**   shooting
el **valor**   value

VERBOS

comprobar (o → ue)   to prove
disparar   to shoot
herir (e → ie)   to wound
ofrecer (**yo ofrezco**)   to offer

solucionar, resolver (o → ue)   to solve
subirse (**a**)   to get on

ADJETIVOS

actual   presente
eficaz   efficient

egoísta   selfish

OTRAS PALABRAS Y EXPRESIONES

falta de   lack of
poner en peligro   to endanger

por el contrario   on the contrary
por medio de   through

Palabras y más palabras

Complete las siguientes oraciones utilizando las palabras del vocabulario.

1. Él vio lo que pasó; es el único _____.
2. El conductor puso en _____ su vida.
3. Pude comprobar que sólo se preocupa de sí misma. ¡Es muy _____!
4. La _____ de empleo es un problema muy grande.
5. *La guerra y la* _____ es una novela de Tolstoi.
6. El revolver es una _____.
7. Es necesario _____ el problema del terrorismo.
8. Las naciones occidentales deben llegar a un _____ para luchar contra el terrorismo.
9. Con el _____ del avión, los terroristas no buscaban dinero sino _____.
10. Tengo 102 grados de _____.
11. Todo lo critica, pero no _____ ninguna solución.
12. En ese país, la _____ por el poder ha traído muchos problemas.
13. Anoche oí un _____ extraño.
14. En el _____ ocurrido entre los terroristas y la policía, hirieron a muchos policías.
15. El conductor del autobús tuvo que romper la puerta con un _____.
16. Las _____ indican por dónde se sale del edificio.
17. El terrorismo internacional es una operación planeada por un grupo de «_____».
18. Antes de _____ al avión, se despidió de sus amigos.
19. Dejaron en libertad a todos los _____ políticos cuando cambió el gobierno.
20. Me desperté lleno de angustia porque tuve una _____ horrible.

Actividades especiales

A. *Hábleme de usted...*

Complete las siguientes oraciones según su propia opinión o experiencia.

1. Para mí, es asombroso que...
2. Yo creo que en el mundo continuará la violencia hasta que...
3. En muchas de nuestras grandes ciudades...
4. Yo creo que una persona pone en peligro su vida cuando...
5. Yo tengo miedo de...
6. Opino que la guerra es...
7. Yo creo que en una prisión...
8. Yo creo en el poder de...
9. Creo que es necesario solucionar...

10. Existe una conexión entre...
11. En el mundo actual...
12. Mi meta es...

B. La clase se divide en cuatro grupos para discutir qué harían en las siguientes situaciones para resolver cada problema. Después de llegar a un acuerdo sobre el plan de acción, informarán al resto de la clase.

1. Uds. son los miembros de la tripulación (*crew*) y dos terroristas secuestran el avión.
2. Uds. están en un banco y un grupo asalta el banco y los toma de rehenes.
3. Uds. son miembros de SWAT y tienen que rescatar a unos rehenes que están en poder de unos terroristas.
4. Han puesto una bomba en la universidad. Uds. están encargados de la evacuación y de encontrar la bomba.

Composición

Escriba una composición sobre la violencia en el mundo.

1. Introducción
   Defina lo que es la violencia
2. Desarrollo
   a. Causas que contribuyen a la violencia
   b. La pobreza
   c. El medio ambiente
   d. Los problemas económicos
   e. La falta de libertad
3. Conclusión
   Posibles soluciones al problema de la violencia

A ver qué dice aquí

Con un(a) compañero(a) prepare preguntas basadas en estos anuncios. Háganselas luego al resto de la clase.

UNA ADIVINANZA

?
A un naranjo° me subí;   *orange tree*
naranjas encontré,
naranjas no comí,
naranjas no dejé.
¿Cuántas naranjas
había en el árbol?

¹I.O.U.

Pepe Vega y su mundo

Lanzarán tres nuevos programas de televisión en español

El productor de televisión cubano Marcelino Miyares lanzará tres programas de televisión en español que serán vistos en distintos canales de las cadenas nacionales en EE.UU. e Hispanoamérica.

> Los tres shows serán en español, aun si se trasmiten en una estación de programación en inglés.

Uno de los programas será un show semanal de variedades, de una hora de duración, con música, concursos y entretenimiento de interés para una audiencia juvenil° específicamente. Aunque aún no se ha decidido cómo se llamará dicho programa, ya se ha seleccionado a la actriz y cantante Ana Margo como presentadora del mismo. «Lo más

teenage

importante es ella», dice Miyares de la joven cubana que se ha destacado° *became known*
por sus actuaciones en televisión, teatro y clubes nocturnos.

La idea es incluir segmentos de entrevistas con artistas de fama internacional, búsqueda° de talentos artísticos, canto,° baile e información sobre *search / singing*
los últimos acontecimientos en el mundo. Habrá reportajes y documentales
de todo el mundo y se rifarán° viajes a conciertos de rock. *there will be drawings for*

«Será un programa que servirá como instrumento de comunicación entre
los jóvenes de aquí y de allá; un puente cultural entre la juventud de 12 a
24 años de edad», indicó Miyares.

El piloto del programa se grabará a finales de febrero o a principios de
marzo del año que viene, en los estudios Time Squares de Nueva York,
propiedad de Miyares y donde se producen también otros programas como
la revista matutina° de Geraldo Rivera y sus programas especiales: *Sports* *morning*
Forum, Coca Cola U.S.A. y *Business this Morning.*

«Somos la única estación independiente de televisión que produce para
las cadenas estadounidenses», señala Miyares. Sus nuevos programas pilotos,
«Medi Mundo», con el Dr. Tirso del Junco, que tratará sobre temas médicos;
uno con Rolando Barral y el de Ana Margo, se comprarán como shows
sindicados en canales tanto anglos como de habla hispana en EE.UU. e
igualmente en Hispanoamérica. Los tres shows serán en español, aun si se
trasmiten en una estación de programación en inglés.

«El concepto y la idea general del show es propia y voy a ser como su
productora», nos dice Ana Margo. «Es un show de variedades que demostrará
la voz que tiene la juventud. No creo que hasta ahora haya habido un programa así en español», añadió.

Ana Margo cantará, bailará, entrevistará y viajará a los lugares donde
estén las noticias más importantes del mundo del espectáculo.

«Va a ser un show para la juventud que no tendrá límites en su entretenimiento, con muchos cambios y un gran potencial de crecimiento»°. *growth*

*Adaptado del **Diario Las Américas** (Miami)*

Comente usted...

1. ¿Qué hará el productor cubano Marcelino Miyares?
2. Describa Ud. el programa de variedades que va a producir.
3. ¿Quién es Ana Margo?
4. Cite algunas de las ideas que piensan incluir en el programa.
5. ¿Qué otros programas se ruedan en los estudios de Miyares?
6. ¿Por qué es importante esta estación de televisión?
7. ¿Cuáles son los nuevos programas pilotos que prepara Miyares?
8. ¿En qué idioma serán presentados estos programas?
9. ¿Qué hará Ana Margo en su programa?
10. ¿A quiénes estará dirigido este programa?

¿Qué mundo soñamos?

Hace unos meses, cuando se acercaban las fiestas de Reyes, le pregunté a uno de mis sobrinos qué era lo que más le gustaba en esta vida. La pregunta lo tomó de sorpresa pero lo pensó un poco y luego, como repentinamente iluminado, respondió: «Tener una bicicleta Caloi.»

Cuando yo creí que me hablaría de estados de ánimo: jugar; divertirse, correr, dormir, estar contento, etc., mi sobrino salió con una frase publicitaria,° con un producto específico. En ese instante, sin pensarlo mucho, me pareció natural que el chico me hubiera dicho que su máxima ambición en la tierra

El impacto de la publicidad sobre el pensamiento° de los hombres en nuestros días es un hecho que puede considerarse como inherente al desarrollo de la sociedad en estos tiempos. Sometemos a los niños a un intenso bombardeo publicitario desde sus primeros meses, y ese proceso continúa por el resto de sus vidas.

thought

slogan

era tener una bicicleta. Pero más tarde, reflexionando sobre el hecho° me di cuenta de que no sólo no era natural sino que era un ejemplo más de uno de los defectos de nuestra sociedad: todo lo que soñamos, lo que ambicio-

happening

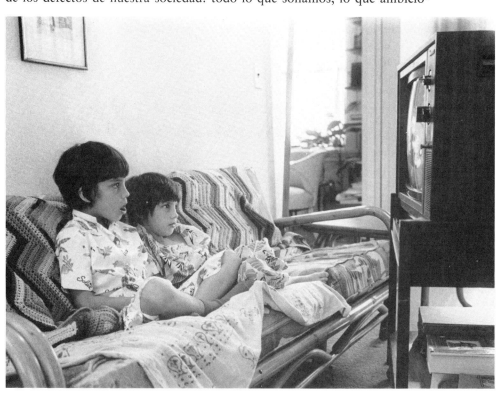

namos, lo que queremos es precisamente lo que la publicidad nos muestra, nos sugiere que compremos, nos pone a mano.

En épocas anteriores, cuando surgió° la industrialización como proceso socio-económico, su finalidad° principal era producir artículos que eran necesarios para el hombre. La gente necesitaba máquinas, instrumentos de trabajo,° ropa, y las industrias se las proporcionaban.° Pero con el avance de la civilización, con la creación de grandes riquezas a nivel de pueblos y a nivel de clases sociales, ha surgido una nueva tendencia: la de industrias que producen cualquier cosa que, mediante una adecuada e intensa publicidad, se convierte en una nueva necesidad del hombre.

Antes era primero la necesidad y luego el producto que satisfacía esa necesidad; hoy, primero es el producto y luego creamos la falsa necesidad de ese producto.

El impacto de la publicidad sobre el pensamiento de los hombres en nuestros días es un hecho que puede considerarse como inherente al desarrollo de la sociedad en estos tiempos. Sometemos a los niños a un intenso bombardeo publicitario desde sus primeros meses, y ese proceso continúa por el resto de sus vidas.

Daré un ejemplo más: como en todo hogar° moderno, también en casa tenemos un aparato de televisión, y nuestro hijo, de apenas un año, ya distingue perfectamente una publicidad de otra. No sabe a qué se refiere específicamente cada corto publicitario° pero sí le entusiasman la música y las imágenes que aparecen en la pequeña pantalla. Como un casi inevitable° mal de nuestros tiempos, también él duerme muchas veces con el televisor encendido.° A veces ya está para dormirse cuando muestran la película de *Coca-Cola*. El bebé se levanta como si hubiera sido sacudido° por una descarga° eléctrica, ve el corto publicitario y luego vuelve a dormir. Una de las pocas palabras que pronuncia es «coca» y estoy seguro de que cuando hayan pasado unos pocos años, será un entusiasta consumidor de esa bebida. A pesar de su corta edad, ya la sociedad le impone pautas° de comportamiento.

Otra característica de nuestros tiempos es que nos juzgamos° unos a otros por lo que consumimos. A la gente no le importa que una persona sea culta, sea feliz o se sienta realizada interiormente, sino que se fija en lo que tiene y en lo que no tiene, qué consume y qué no consume. Para que una persona sea feliz, es necesario que disponga de los muchos productos de mayor publicidad.

Volviendo al caso de los niños. Es un hecho que en cuanto tienen la libertad de elegir juguetes, sistemáticamente escogen aquéllos que tienen publicidad en televisión. Sólo así se explica la venta de ciertas marcas° de juguetes a pesar de sus precios astronómicos. Los niños ya entienden que lo que «hay que tener» es lo que anuncian en la televisión.

A medida que° un ser humano crece y cultiva su inteligencia y su espíritu, es importante que también ensanche° sus horizontes, que cree nuevas metas para lograr la felicidad, que tenga nuevos sueños y ambiciones, superando° el estrecho° y manipulado mundo que el bombardeo publicitario nos ofrece cada día con incansable insistencia.

Adaptado de la revista **Ñandé** *(Paraguay)*

Margin glosses:

appeared
goal

instrumentos... *tools / se las... made them available to them*

home

ad
unavoidable

on
shaken / discharge

patterns
we judge

brands

as
widens
overcoming
narrow

Comente usted...

1. ¿Qué experiencia tuvo el autor con su sobrino y cuál fue su reacción?
2. ¿Qué puede usted decirnos sobre la industrialización como proceso socio-económico, comparando su papel en la actualidad con el que tenía en épocas anteriores?
3. ¿Qué ejemplo da el autor del impacto publicitario en los niños, usando a su propio hijo para ilustrarlo?
4. Según el autor, ¿cómo nos juzgamos unos a otros?
5. ¿Cómo explica el autor la venta de ciertas marcas de juguetes a pesar de sus precios astronómicos?
6. Según el autor, ¿qué debe hacer un ser humano a medida que crece?

Escribir, derecho inalienable

Poco antes de dejar la presidencia de
la Sociedad Interamericana de Prensa
(SIP), Horacio Aguirre, director general
del *Diario Las Américas*, de Miami,
analizó, en una entrevista concedida° a
Visión, la situación de la libertad de
prensa en algunos países latinoamericanos, las actividades de los 40 años de

Existen países como Cuba, por
ejemplo, donde el totalitarismo
marxista-leninista hace
imposible toda manifestación
de libertad de prensa.

given

la SIP y las restricciones para ejercer° el periodismo. De una larga trayectoria°   *practice / experience*
dentro de esa profesión, Aguirre ha sido condecorado por los gobiernos de

Ecuador, España, Panamá y la República Dominicana y es miembro de varias asociasiones periodísticas del continente. A continuación, la entrevista:

VISIÓN: ¿Cuáles son los países latinoamericanos que tienen más problemas en relación con la libertad de prensa en la actualidad?

HORACIO AGUIRRE: Yo diría que hay distintos casos de libertad de prensa, según las circunstancias de cada país. Aunque desde un punto de vista ideológico consideramos que hay o no hay violación de la libertad de prensa, en el orden práctico nos encontramos con que existen algunos grados de mayor o menor violación de la libertad de prensa. Existen países como Cuba, por ejemplo, donde el totalitarismo marxista-leninista hace imposible toda manifestación de libertad de prensa.

En Nicaragua, por muchos años, una severísima censura de prensa se ha aplicado al único órgano independiente del país, el diario La Prensa, de Managua, que tiene un historial muy importante en defensa de la libertad de prensa en toda Nicaragua y al mismo tiempo, en defensa de las instituciones democráticas del país.

VISIÓN: ¿Puede la SIP afectar la política de un país?

HORACIO AGUIRRE: Es evidente que la visita de un grupo de periodistas que habla en nombre de una entidad que representa a más de 1.200 periódicos del hemisferio occidental desde Canadá hasta la Patagonia tiene un efecto sicológico y moral, que se proyecta en el campo político, aunque nuestra SIP no es política.

VISIÓN: Si un reportero o un periodista en alguno de estos países hubiera estado en la cárcel, ¿habrían podido ustedes sacarlo de ahí, o no tienen ese tipo de poder?

HORACIO AGUIRRE: No, no tenemos ningún tipo de poder para eso. Cuando un gobierno arbitrariamente o creyendo que lo hace de acuerdo con las leyes pone en la cárcel a un periodista, nosotros no podemos ponerlo en libertad.° *free him*

VISIÓN: Es muy larga la lista de países latinoamericanos que tienen la ley de licenciación de los periodistas. ¿Cuál es su opinión sobre tal° ley? *such*

HORACIO AGUIRRE: Desafortunadamente, elementos interesados en restringir° la libertad de expresión, con el pretexto de defender la profesión del periodismo, han hecho° que algunos países de sentido democrático en su vida, hayan adoptado leyes que establecen condiciones específicas para ejercer el periodismo. En realidad, estas leyes son violatorias de la libertad de expresión, porque el instrumento básico que usa un periodista para ejercer su profesión o su actividad es la libertad de palabra escrita o hablada. *restricting* / *caused*

VISIÓN: ¿Cree usted que la prensa de los Estados Unidos y los medios de comunicación de ese país representan bien o justamente a Latinoamérica? ¿Cómo ve usted el enfoque° latinoamericano de los medios de comunicación estadounidenses? *focus*

HORACIO AGUIRRE: Es una pregunta muy difícil de contestar porque los Estados Unidos son un país muy grande. Hay una prensa muy desarrollada, pero los asuntos° de cada comunidad son tan importantes para cada pe- *affairs* riódico, que no siempre están en condiciones de poder conocer todo lo que pasa en el resto de los países del hemisferio occidental.° Y por eso están expuestos a errores que pueden ser, según mi criterio, el no dar la importancia que las características de esos países merecen.

western

Sin embargo, hay periódicos aquí que sí tienen preocupación, y sus corresponsales visitan esos países, esas naciones, e informan sobre lo que allí ocurre. Muchas veces también pasa lo mismo en Hispanoamérica, que con respecto a los Estados Unidos dan una información equivocada,° simplemente porque no han penetrado en la realidad local.

incorrect

VISIÓN: ¿Ve usted algún cambio en la SIP, o seguirá las mismas funciones que ha tenido hasta ahora?

HORACIO AGUIRRE: Seguirá con las mismas funciones, utilizando los recursos de su propia naturaleza, que son los de su fuerza moral, su fuerza informativa y orientadora.

*Adaptado de **Visión** (México)*

Comente usted...

1. ¿Qué es la SIP?
2. ¿Qué analizó Horacio Aguirre en la entrevista?
3. ¿Qué dice Aguirre sobre los distintos grados de violación de la libertad de prensa?
4. ¿Qué dice sobre Cuba y Nicaragua?
5. ¿Qué influencia puede tener la SIP en los diferentes países?
6. ¿Qué opina Aguirre sobre la licenciación de los periodistas?
7. ¿Según Aguirre, cómo representa a veces la prensa de los Estados Unidos a Latinoamérica? ¿Por qué?
8. ¿Cómo representan a veces los periódicos de Latinoamérica a los Estados Unidos? ¿Por qué?

Desde su mundo

1. ¿Qué pasa en los Estados Unidos cuando se acercan las fiestas de Navidad? (En la televisión, en las tiendas, en la vida familiar, etc.)
2. ¿Recuerda usted algunas frases publicitarias? ¿Cuáles? ¿Qué productos tratan de vender?
3. ¿Cómo son los programas para niños en los Estados Unidos? ¿Cuáles son los mejores? ¿Ha visto usted alguna vez «La calle Sésame»?
4. ¿Ha cambiado mucho la televisión durante los últimos años? ¿Hay nuevas tendencias? ¿Por ejemplo?
5. ¿Qué cosas compramos en este país simplemente porque tienen mucha publicidad en televisión?
6. ¿De qué manera podría usarse la televisión para educar al público?
7. ¿Qué podemos hacer para superar el estrecho mundo que nos ofrece la televisión?

8. En su opinión, ¿qué cosas son necesarias para ser feliz?
9. ¿Cree Ud. que hay situaciones en que la censura está justificada? Dé ejemplos.
10. ¿Qué cree Ud. que tiene más influencia en la opinión pública, la prensa o la televisión? Explique por qué.

VOCABULARIO

NOMBRES

el **asunto**   business, affair
la **cadena**   chain
el **canal**   channel
el (la) **cantante**   singer
la **cárcel**   jail, prison
la **censura**   censorship
el **comportamiento**   behavior
el **concurso**   contest
el **defecto**   fault
el **derecho**   right
la **entrevista**   interview
el **estado de ánimo**   mood

el **grado**   degree
el **hecho**   fact
el **juguete**   toy
la **marca**   brand
el (la) **miembro**   member
la **palabra**   word
la **pantalla**   screen
el **periodismo**   journalism
el (la) **periodista**   journalist
la **prensa**   press
el (la) **productor(a)**   producer
el **puente**   bridge

VERBOS

acercarse, aproximarse   to get near
grabar   to tape, to record

juzgar   to judge
sacudir   to shake

ADJETIVOS

culto(a)   educated

semanal   weekly

OTRAS PALABRAS Y EXPRESIONES

a continuación   following
así   like this (that)
cualquier cosa   anything
desafortunadamente, desgraciadamente, por desgracia   unfortunately
en la actualidad, hoy en día   nowadays

la libertad de expresión   freedom of speech
la libertad de prensa   freedom of the press
mediante   by means of
repentinamente, de repente   suddenly
salir con   to come up with

Palabras y más palabras

Las palabras que aparecen en estas lecturas, ¿forman ya parte de su vocabulario? ¡Vamos a ver!

Dé usted el equivalente de las siguientes palabras y expresiones:

1. lo que usan los niños para jugar
2. persona que canta profesionalmente
3. manera en que actúa una persona
4. aproximarse
5. cada siete días
6. de esta manera
7. manera en que uno se siente
8. persona que produce un programa
9. donde se proyecta una película
10. que ha estudiado mucho
11. prisión
12. una limitación en la libertad de expresión
13. que pertenece a cierto grupo
14. estructura usada para cruzar un río, por ejemplo.
15. por medio de
16. libertad de decir lo que uno quiere
17. agitar
18. de repente
19. hoy en día
20. nombre de fábrica de un producto
21. desafortunadamente
22. lo que hace un juez

Actividades especiales

A. Termine las siguientes frases según su propia opinión y experiencia.

1. El año pasado, cuando se acercaban las fiestas de Navidad...
2. Lo que más me gusta en esta vida es...
3. Mi máxima ambición en la tierra es...
4. Uno de los grande defectos de nuestra sociedad es...
5. Yo creo que el impacto de la publicidad...
6. El bombardeo publicitario me afecta (no me afecta) porque...
7. Como en todo hogar moderno, también en mi casa...
8. A mí me entusiasma...
9. Yo soy un(a) ferviente consumidor(a) de...
10. Cuando conozco a una persona, lo primero que tengo en cuenta es...
11. Yo creo que la censura...
12. Nunca me he encontrado con nadie que...

B. *Debate*

La clase se dividirá en dos grupos y cada uno defenderá uno de los siguientes puntos de vista:

1. La censura *nunca* tiene justificación.
2. La censura es necesaria en algunas situaciones.

Composición

Escriba una composición sobre el impacto de la publicidad.

1. Introducción
   Los diferentes medios publicitarios
2. Desarrollo
   Influencia de los anuncios en:
   a. los niños
   b. los adolescentes
   c. los adultos
3. Conclusión
   Ventajas y desventajas de la publicidad

A ver qué dice aquí

Con un(a) compañero(a) prepare preguntas basadas en la información que aparece en la guía de televisión. Háganselas luego al resto de la clase.

Vea hoy

• **La hija del penal,**
a la 1 p.m.; canal 2. Con María Antonieta Pons.

• **Melodía fatal,**
a las 9 p.m.; canal 2. Con Roy Thines e Yvette Mimieux.

• **Hola, Juventud,**
a las 4:30 p.m.; canal 4. El popularímetro de la música nacional, con Nelson Hoffmann.

Programación

8:35 (2) Buenos días con música.
8:55 (2) Ayer y hoy en la historia.
9:00 (2) Aeróbicos.
9:30 (2) En ruta al mundial.
10:00 (6) Música.
11:00 (6) Capitán Raimar.
11:30 (2) Acción en vivo. (6) El sargento Preston.
11:45 (7) Las aventuras de Lassie.
12:00 (6) Mundo de juguete.

12:15 (7) Telenoticias.
12:30 (2) En contacto directo.
1:00 (2) Tanda del Dos: "La hija del penal". (6) Comentarios con el Dr. Abel Pacheco. (7) La monja voladora.
1:05 (6) Notiséis.
1:30 (7) Mi mujer es hechicera.
1:40 (6) Los tres chiflados.
2:00 (7) Cocinando con tía Florita: Pastel de Cuaresma.
2:05 (6) Tarzán.
2:15 (13) Carta de ajuste.
2:30 (7) Plaza Sésamo.
2:40 (4) Patrón y música.
3:00 (2) Mi marciano favorito. (4) Club cristiano costarricense. (6) Superamigos. (7) El fantasma del espacio y los herculoides. (13) Introducción a la U.
3:30 (2) De to2 para to2. (4) Cruzada de Jimmy Swaggart. (6) Seiscito. (7) Capitán Peligro. (13) El mar y sus secretos.
4:00 (2) Video éxitos del Dos. (4) Club 700. (6) Los Pitufos. (7) El inspector Gadget. (13) Las aventuras de Heidi.
4:30 (4) Hola, juventud. (6) He Man y los amos del Universo. (7) Super héroes. (11) Jesucristo T.V. (13) UNED.
5:00 (2) Teleclub. (6) M.T.V. (7) El justiciero. (11) El pequeño vagabundo. (13) Don Quijote de La Mancha.
5:30 (7) Scooby Doo. (11)

Marvel super heroes. (13) Villa alegre.
5:50 (4) Cenicienta.
6:00 (2) Angélica. (6) Notiséis. (7) Telenoticias. (11) Amar al salvaje. (13) Testigos del ayer.
6:10 (4) Atrévete.
6:30 (6) El Chavo. (13) Aurelia, canción y pueblo.
7:00 (4) Cristal. (6) Lotería. (7) Aunque Ud. no lo crea. (11) Las Amazonas. (13) Pensativa.
7:30 (2) Tú o nadie.
8:00 (4) Rebeca. (6) Comentarios con el Dr. Abel Pacheco. (7) Los magníficos. (11) Mae West. (13) Noches de ópera.
8:05 (6) Miniseries del Seis: "El guerrero misterioso".
8:30 (2) En contacto directo.
9:00 (2) Cine del martes: "Melodía fatal". (4) Voleibol en vivo. (7) Vecinos y amigos.
9:55 (11) De compras.
10:00 (4) Revista mundial. (6) Rituales. (7) Best sellers. (11) Noticiero C.N.N. (13) Cuentos de misterio.
10:30 (4) Despedida. (6) Para gente grande. (13) Despedida y cierre.
11:00 (7) Telenoticias.
11:30 (2) Los profesionales. (6) Notiséis.
12:30 (2) En contacto directo.
1:00 (2) Ayer y hoy en la historia.
1:05 (2) Buenas noches.

Información suministrada por las televisoras.

UNA ADIVINANZA

Yo tengo una tía
y mi tía tiene una hermana
que no es tía mía
¿Qué es?

Pepe Vega y su mundo

La comunicación a través del idioma

Dos idiomas son mejores que uno

¡Ojalá me hubieran hecho aprender el español cuando era niño! Mi vida en Miami, con su cultura e idiomas diversos, habría sido mucho más rica y más sencilla.

> «Para mí, el idioma es una puerta abierta a través de la cual fluye el conocimiento.»

Soy un periodista de 58 años sin otro don° idiomático que aquel del país en que nací, y desgraciadamente inepto en la lengua de la mitad de la ciudad en la que vivo y trabajo. Afortunadamente, eso no es una afección° incurable: La mayor parte de los residentes de habla hispana de Miami se desenvuelven° muy bien en inglés también, algunos de ellos mejor que yo. Pero es una enfermedad mía, que refleja en parte la superficialidad idiomática de esta nación.

Los Estados Unidos, aunque formados por personas de todas las naciones, son profundamente ineptos en los idiomas extranjeros. Hasta enviamos embajadores que no hablan el idioma del país al cual se les asigna.

Cuando yo estudiaba en Virginia Occidental, el único idioma «extranjero» que se exigía para graduarse de la escuela secundaria era el latín, y ése es un idioma muerto. En otras partes del mundo, los chicos crecen hablando no solamente un idioma, sino dos o tres.

Mis conocidos de Europa y de muchas partes de la América Latina que hablan por lo menos dos idiomas, tienen una percepción más amplia del mundo y una base cultural más rica. En Miami, por ejemplo, la persona verdaderamente bilingüe o multilingüe disfruta de lo mejor de varios mundos.

Como me escribió una joven: «Le doy gracias a Dios por saber dos idiomas fundamentales, el inglés y el español. Para mí, el idioma es una puerta abierta a través de la cual fluye° el conocimiento.» Todo escolar japonés aprende algo de inglés como asignatura° obligatoria°, y el dominio de los idiomas es una parte muy importante del éxito en el comercio mundial. Una vez le pregunté a un vendedor japonés cuántos idiomas hablaba, y me contestó, en un inglés impecable: «Hablo el idioma del cliente.»

El español no es solamente el segundo idioma del Condado° Dade, sino que para millares° de residentes es el «único» idioma. Y debido a que los hispanos forman ahora casi la mitad de la población, con una cultura y una economía floreciente°, uno puede desenvolverse° razonablemente bien sin hablar otro idioma. Francamente, me gustaría ver que se hiciera obligatoria la enseñanza del español para los alumnos de habla inglesa, empezando al nivel del «Kindergarten». Para aquellas personas que preguntan: «¿Por qué no aprenden los hispanos a hablar inglés?», la respuesta es: La mayor parte de ellos lo habla.

Pero dos idiomas son mejores que uno.

*Adaptado del periódico **El Sol** (Phoenix, Arizona)*

gift

disease
get along

flows
course / required

County
thousands

growing / manage

Comente usted...

1. ¿Qué lamenta el autor, Charles Whited?
2. ¿Cuál es la profesión de Charles Whited?
3. ¿Qué idiomas habla la mayor parte de los residentes de habla hispana de Miami?
4. ¿Qué quiere decir Charles Whited al hablar de la «superficialidad lingüística» de los Estados Unidos?
5. ¿Qué problemas tienen algunos embajadores norteamericanos?
6. ¿Por qué tienen los europeos una visión más amplia del mundo?
7. ¿Qué es el idioma para la joven que le escribió a Charles Whited?
8. ¿Cuál es la filosofía del hombre de negocios japonés en cuanto a los negocios?
9. ¿Cuáles son las ventajas de ser bilingüe?
10. ¿Qué le gustaría a Charles Whited que fuera obligatoria?

U.S.A. para españoles

«Si no hubiera existido España hace cuatrocientos años, no existirían hoy los Estados Unidos», dijo el historiador Charles F. Lummis en un intento° de reivindicar la contribución española a la historia norteamericana.

> La importancia de lo español en los Estados Unidos es cada día mayor.

attempt

Hoy, la presencia española es escasa, pero la importancia de lo hispano es cada vez mayor. En California del Sur, en Florida y en la ciudad de Nueva York no es necesario saber inglés para entenderse con sus habitantes. Los mejicanos en California, los cubanos en Miami, los puertorriqueños en Nueva York y el resto de los emigrantes «latinos» forman una red de más de diez millones de hispanoparlantes que cubren buena parte del territorio nacional.

En Nueva York hay más de un millón de puertorriqueños, un buen número de cubanos y mejicanos, 40.000 sefarditas y una cifra sin determinar de emigrantes de habla hispana. Hay tres emisoras de radio en español, dos cadenas de televisión, dos periódicos, una revista y 35 cines. Todos los documentos oficiales están en los dos idiomas, así como los avisos en estaciones y aeropuertos. En todas las tiendas de Nueva York se puede preguntar por alguien que hable español, con la seguridad° de que la mitad de los dependientes serán hispanos.

certainty

En California, uno de cada cinco californianos es mejicano y Los Ángeles (L.A., como se le llama normalmente) es el segundo núcleo mejicano del mundo en donde los hispano-parlantes serán mayoría dentro de veinte años. Al este de Los Ángeles hay un barrio «latino» donde viven 700.000 hispanos y casi en el centro de la ciudad existe una zona comercial, el Broadway hispano o Baja Hollywood, en cuyas tiendas es más fácil oír español que inglés.

En la Florida, a su ciudad más importante, Miami, se la llama «Little Havana», la pequeña Habana, por la gran cantidad de cubanos que desde la revolución castrista° viven en ella. Es además el centro turístico de argentinos, venezolanos, colombianos y otros hispanos de la clase media y alta, que acuden anualmente a «Miami Beach» a disfrutar de sus lujosísimos hoteles a la orilla del mar. Miami está desde hace veinte años en manos de los cubanos, profesionales y hombres de negocio en buena proporción.

Castro's revolution

Florida es bilingüe y todo, sea libros, cine, teatro y televisión puede encontrarse en castellano. El periódico más importante, el *Miami Herald,* editado en inglés, ha tenido que meter° páginas en nuestro idioma y en algunas tiendas el cartel no es «se habla español» sino «English spoken».

insert

*Adaptado de **Cambio 16** (España)*

Comente usted...

1. ¿Qué dice el historiador Charles F. Lummis?
2. ¿En qué estados es más notable la presencia hispánica?
3. Dé Ud. ejemplos de la influencia hispana en Nueva York.
4. ¿Cuál es el segundo núcleo mexicano del mundo?
5. ¿Por qué llaman algunos a Miami «la pequeña Habana»?
6. ¿De qué países es la mayoría de los turistas que visitan Miami?

Al pan, pan y al vino, vino o:
«To call a spade a spade»

Vamos a suponer que usted sabe todas las reglas gramaticales de un idioma, y que no hay palabra cuyo significado se le escape. ¿Quiere esto decir que usted conoce esa lengua perfectamente; que usted la domina? ¡Por supuesto que no! ¿Por qué? Porque una lengua es mucho más que eso. Es la suma de esos elementos, más la caterva° de expresiones y comparaciones idiomáticas, dichos,°

> Si Ud. quiere comprar un Mercedes Benz en España, le costará *un ojo de la cara,* pero en los Estados Unidos la será más costoso pues tendrá que pagar por él «un brazo y una pierna».

a great number

sayings

proverbios y juegos de palabras que son dictados por la cultura y la idiosincracia de la gente que habla ese idioma.

Vamos a comparar dos lenguas habladas por millones de personas que, si bien° tienen muchas similaridades, difieren muchas veces en su forma de expresar hechos e ideas, precisamente porque la gente que los habla no siempre ve el mundo a través del mismo cristal. Nos referimos al español y al inglés.

although

Empecemos con algo tan simple como hablar de la edad. En este caso, el español demuestra cierto optimismo comparado con el inglés. «*Tengo treinta años*» —dice un hispanohablante. Es una manera positiva de ver las cosas: Uno posee treinta años... ¿de experiencia, quizá? ¿de madurez? En inglés se dice literalmente «*soy treinta años viejo*»... y la carga de los años parece más pesada. Claro que lo extraño es decir que un bebé «*¡es un año viejo!*» Visiones de un personaje en pañales,° pelo blanco y bastón° cruzan nuestra mente por un instante.

diapers / cane

Pero vayamos a otras expresiones. ¿Que llueve mucho? El español comenta que *llueve a cántaros,* como si los ángeles nos estuvieran echando agua desde arriba. En inglés... «*está lloviendo gatos y perros*!» Decirle esto a un hispanohablante que está empezando a aprender la lengua de Shakespeare podría darle un buen susto, pues probablemente causaría en él la idea de que quizá esto fuera el principio del fin... ¡del mundo!

Y hablando de lluvia, si alguien aparece inesperadamente, se dice en español que llegó *llovido del cielo,* mientras que en inglés, esa misma persona sale «*del claro cielo azul*». Vemos entonces que también en el idioma de Cervantes, la lluvia trae algo más que agua...

Ambas lenguas usan, en sus expresiones idiomáticas, partes del cuerpo; pero éstas raras veces se corresponden.

Si usted quiere comprar un Mercedes Benz en España, le costará *un ojo de la cara,* pero en los Estados Unidos, disfrutar del mismo tipo de coche le será más costoso, pues tendrá que pagar por él «*un brazo y una pierna*».

¿Que hay problemas? Pues en inglés, «*mantener rígido el labio superior°*»

upper

le ayudará a soportarlos, pero en español, como se dice *a mal tiempo, buena cara*, tendrá que sonreír quizá de oreja a oreja, en cuyo caso le será imposible seguir el consejo inglés.

Después de unos años de estudio, un profesor de español esperará que sus alumnos sepan *al dedillo°* los verbos irregulares, mientras que la felicidad de un profesor de literatura inglesa dependerá quizás de que sus estudiantes hayan aprendido algunas líneas de *Hamlet* «*por corazón*».

Si alguna vez le han hecho una broma, ojalá que haya sido en España, pues allí le habrán *tomado el pelo*, mientras que en un país de habla inglesa le habrían «*estirado la pierna*» sin ninguna consideración.

La proverbial exageración del latino se nota en muchas de sus expresiones idiomáticas. Mientras que en inglés simplemente se «charla mucho», en español se *habla hasta por los codos*. Un norteamericano o un inglés podrá estar muy enojado, podrá estar furioso; llegará incluso a «*golpear el techo*». Pero ¡cuidado con la furia de un español o de un latinoamericano, porque armará tal escándalo que *pondrá el grito en el cielo*!

Pero quizá la exageración llega al extremo al hablar de la pobreza. ¿Se ha sentido usted alguna vez «*tan pobre como un ratón de iglesia*»? ¡Pues eso no es nada! Hay cientos de personas en Madrid o Andalucía, México o Argentina, que le dirán que ellos conocen a gente tan pobre que *no tiene dónde caerse°* *muerta*.

¿Ha podido usted hacer dos cosas a la vez? En ese caso dirá en español que ha *matado dos pájaros de un tiro.°* En inglés, sin embargo, habría usado un sistema mucho más primitivo, pues habría «*matado dos pájaros con una piedra*».

¿Tiene que tomar una decisión importante? Quizá esta noche, cuando se acueste, encuentre la solución. Si usted habla inglés, «*dormirá sobre*» el problema a resolver; pero si habla español, tendrá ayuda, pues podrá *consultarlo con la almohada*.

Notemos cómo el inglés es a veces más «espiritual» que el español. ¿Que ha venido mucha gente? Su amigo hispanohablante comentará, prosaico, que aquí está *todo bicho viviente,°* mientras que el inglés, lejos de llamar «bichos» a los asistentes, se referirá a ellos como a «*almas° vivientes*».

¿Y cuando nos morimos? Quizá el español muestre más resignación ante la muerte, pues se limita a *estirar la pata,°* mientras que el inglés, quizá en un último acto de rebelión, «*patea el cubo°*».

Es hora, querido lector, de terminar este artículo, porque hemos *hablado hasta por los codos;* además, el esfuerzo mental realizado nos hace sentir como si *tuviéramos cien años* y estuviéramos próximos a *estirar la pata*, y no crea que le estamos *tomando el pelo*.

Ya hemos leído este artículo tantas veces que nos lo sabemos *al dedillo*, pero ¿sería una buena idea publicarlo? No sabemos qué hacer... Esta noche *lo consultaremos con la almohada*.

Aunque *llueve a cántaros*, tendremos que ir al mercado, pues nos han llegado unos invitados *llovidos del cielo*.

Comprar comida para tanta gente nos costará *un ojo de la cara*, y si

---

al... *perfectly*

drop

shot

todo... *every living creature / souls*

leg (paw)
bucket

sigue visitándonos *todo bicho viviente* pronto habremos gastado todo nuestro dinero y *no tendremos dónde caernos muertos.* Otras personas *pondrían el grito en el cielo* si tanta gente viniera sin llamar, pero nosotros lo tomamos filosóficamente; ¿qué vamos a hacer? Tendremos que poner *a mal tiempo buena cara.*

Bueno, ¿se da cuenta usted de que, además de hablarle de algo tan fascinante como son las expresiones idiomáticas, le hemos contado también los problemas que nos dan nuestros amigos? Es indudable. ¡Hemos *matado dos pájaros de un tiro*!

Ana C. Jarvis
Raquel Lebredo
Francisco Mena-Ayllón

Comente usted...

1. ¿Qué se necesita saber para dominar realmente un idioma? ¿Por qué?
2. ¿Por qué hay tantas diferencias entre el español y el inglés en la manera en que se expresan las ideas?
3. ¿Qué visiones cruzan por la mente de un hispanohablante cuando oye que un bebé «es un año viejo»?
4. ¿Qué se dice en español cuando está lloviendo mucho?
5. Si algo le costara mucho dinero, ¿qué expresión usaría en español?
6. Qué ejemplos puede Ud. dar de la proverbial exageración del latino?
7. ¿Cómo se expresa en español la idea de que uno ha hecho dos cosas a la vez?
8. ¿Qué hace un hispanohablante cuando tiene que tomar una decisión importante?
9. ¿Por qué dice el artículo que el inglés es a veces más «espiritual» que el español?
10. ¿De qué manera —irrespetuosa— podemos decir en español que alguien ha muerto?

Desde su mundo

1. ¿Por qué está estudiando Ud. español?
2. ¿Cree Ud. que las universidades norteamericanas deben tener el estudio de las lenguas extranjeras como requisito?
3. ¿Puede Ud. citar alguna anécdota en relación con el idioma?
4. ¿Apoyaría Ud. la enseñanza de idiomas extranjeros en la niñez? ¿Por qué?
5. ¿Está Ud. de acuerdo con la idea de que todo el mundo debería ser bilingüe o multilingüe? ¿Por qué?
6. ¿Cuáles son las ventajas del programa de intercambio de estudiantes?
7. ¿Qué cambios ha habido últimamente en los Estados Unidos con respecto a las lenguas extranjeras?
8. ¿Qué nuevas expresiones idiomáticas ha aprendido Ud.?

VOCABULARIO △

NOMBRES

la **carga**   burden, load
el **cielo**   sky
la **cifra**   number
el **codo**   elbow
el (la) **conocido**(a)   acquaintance
el **dominio**   mastery
el (la) **embajador**(a)   ambassador
la **emisora de radio**   radio station
el (la) **escolar**   schoolboy, schoolgirl
el **grito**   scream

la **iglesia**   church
el (la) **invitado**(a)   guest
el **nivel**   level
la **piedra**   rock, stone
el **ratón**   mouse
la **red**   net
la **regla**   rule
el **susto**   fright
el **techo**   ceiling, roof
el (la) **vendedor**(a)   salesperson

VERBOS

disfrutar   to enjoy
dominar   to master

estirar   to pull, to stretch
patear   to kick

ADJETIVOS

ambos(as)   both
costoso(a)   expensive
enojado(a), **enfadado**(a)   angry

escaso(a)   scarce
lujoso(a)   luxurious
sencillo(a), **simple**   simple

OTRAS PALABRAS Y EXPRESIONES

a cántaros   by the bucketful
a la vez   at the same time
así como   as well as
de habla hispana, hispano-parlante   Spanish speaking

rara vez   seldom
todo bicho viviente   every living thing (creature)
inesperadamente   unexpectedly

Palabras y más palabras

Las palabras que aparecen en las selecciones... ¿forman ya parte de su vocabulario? ¡Vamos a ver!

Complete las siguientes oraciones, usando las palabras del vocabulario.

1. No es nada complicado; es muy _____.
2. México es un país de _____ hispana.
3. Un _____ representa a su país en otro.
4. No es un amigo; es solo un _____.
5. El año pasado, yo _____ mucho de mis vacaciones.
6. Eres bilingüe cuando has logrado el _____ de dos idiomas.

7. Yo enseño a _____ universitario.

8. A los ochenta, él sentía la _____ de los años.

9. Ella habla inglés, pero no lo _____.

10. Yo no sabía que él iba a venir. Llegó _____.

11. Ayer llovió a _____.

12. Está muy _____ porque no le pagaron el trabajo.

13. En el desierto, el agua es muy _____.

14. Fue un viaje muy _____. Pagó diez mil dólares por él.

15. Todos los domingos vamos a la _____.

16. Esta noche tengo cinco _____ a cenar.

17. Todo _____ viviente vino a la fiesta.

18. No había una sola nube en el _____.

19. Cuando vio el ratón, dio un _____. ¿Qué _____ se dio la pobre!

20. Tenemos que obedecer las _____ de la universidad.

Actividades especiales

A. Vuelva a escribir las siguientes frases usando expresiones idiomáticas que ha aprendido en esta lección:

1. ¿Mi *edad*? Veinte *años*.
2. Llueve *muchísimo*.
3. Quiero *hacer dos cosas a la vez*.
4. *Murió*.
5. *Apareció inesperadamente*.
6. Voy a *pensarlo esta noche*.
7. Todo *el mundo* vino a mi fiesta.
8. Habla *todo el tiempo*.
9. Me costó *muchísimo dinero*.
10. *Trata de afrontar los problemas con una actitud positiva*.
11. Lo sé todo, *a la perfección*.
12. Te está *haciendo una broma*.
13. *Se puso furioso y gritó*.
14. *Es pobrísimo. No tiene absolutamente nada*.

B. *Hábleme de usted...*

Complete lo siguiente según su propia opinión y experiencia.

1. Yo maté dos pájaros de un tiro cuando...
2. Cuando llueve a cántaros a mi me gusta...
3. Puse el grito en el cielo cuando...
4. «A mal tiempo buena cara» digo yo cuando...
5. Durante mi niñez, yo...
6. Para dominar el español tendré que...
7. Yo rara vez...
8. Yo disfruto mucho de...

9. Ojalá me hubieran hecho aprender...
10. Los escolares norteamericanos...

C. Los estudiantes de esta clase son miembros de una Comisión Presidencial que debe hacer recomendaciones sobre la manera de incrementar el estudio de las lenguas extranjeras en los Estados Unidos. La clase se dividirá en grupos y cada uno dará sugerencias. Al final de la discusión cada grupo presentará sus recomendaciones.

Composición

Escriba una composición sobre la importancia de aprender un idioma extranjero. Mencione los siguientes temas:

a. La mejor edad para aprender un idioma.
b. Problemas en el aprendizaje de una lengua.
c. Ventajas de hablar más de una lengua.

Trabalenguas[1]

Trate de decir todo esto muy rápido.

1. Tres tristes tigres

2. Por la calle Carretas
   pasó un perrito
   y al pobre perrito
   lo pilló un carrito

3. Parra tenía una perra
   y Porra tenía una parra;
   y la perra de Parra
   mordió la parra de Porra.

---

[1]tongue twisters

A ver qué dice aquí

Con un(a) compañero(a) prepare preguntas basadas en este anuncio. Háganselas luego al resto de la clase.

UNA ADIVINANZA

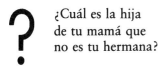 ¿Cuál es la hija
de tu mamá que
no es tu hermana?

Pepe Vega y su mundo

VOCABULARIO

A

a cántaros   by the bucketful
a continuación   following
a diario   daily
a duras penas   barely
a lo largo de   along
a mano   by hand
a medida que   as
a partir de   from
a pesar de   in spite of
a prinicipios de   at the beginning of
a vuelta de correo   by return mail
abertura *(f.)*   opening
abrocharse   to fasten
aburrimiento *(m.)*   boredom
aceite *(m.)*   oil
acera *(f.)*   sidewalk
acercarse(a)   to get near, to approach
acero *(m.)*   steel
acertado(a)   correct, right
acondicionar   to condition
acontecimiento *(m.)*   event
actual   present
actualizar   to update
actualmente   nowadays
acudir   to go
acuerdo *(m.)*   agreement
acuñar   to coin
adelante   ahead
además de   beside
adiposo(a)   fatty
adorno *(m.)*   ornament
afección *(f.)*   disease
aficionado(a)   fan
afirmación *(f.)*   statement
aglomeración *(f.)*   crowd
agotador(a)   exhausting
agregar   to add
agudo(a)   acute
aguja *(f.)*   needle
al azar   by chance
al dedillo   perfectly
al final   at the end
al lado de   beside, next to

ala *(f.)*   wing
albergar   to house
alcachofas *(f.)*   artichokes
alcance *(m.)*   reach
alcanzar   to attain, to achieve, to reach
alfarería *(f.)*   pottery
alimentar   to feed
alimenticio(a)   nourishing
aljibe *(m.)*   cistern
alma *(f.)*   soul
alrededor de   about, around
altanero(a)   arrogant
alturas *(f.)*   heights
amabilidad *(f.)*   courtesy
amargura *(f.)*   bitterness
ambiente *(m.)*   environment
ambos(as)   both
amenaza *(f.)*   threat
ametralladora *(f.)*   machine gun
amistad *(f.)*   friendship
andar a pie   to walk
andar muy mal   to be in trouble
anfitrión(-ona)   host, hostess
anhelar   to wish for
angustia *(f.)*   anxiety
anillo *(m.)*   ring
antepasado *(m.)*   ancestor
antiguo(a)   old
antojo *(m.)*   whim
añadir   to add
apoyar   to support, to lean
aprendizaje *(m.)*   learning
apretar (e→ie)   to squeeze
aprobar (o→ue)   to approve, to pass
aproximarse   to get near, to approach
aretes *(m.)*   earrings
argumento *(m.)*   plot
arma *(f.)*   weapon
aros *(m.)*   earrings
artesanía *(f.)*   arts and crafts

arriesgado(a)   brave, risky
arrojar   to throw
así   like this (that)
así como   as well as
asignatura *(f.)*   course
asistente *(m.,f.)*   person in attendance
asunto *(m.)*   affair
atraco *(m.)*   robbery
atravesar (e→ie)   to go through
atropellar   to run over
aumentar   to increase
aumento *(m.)*   increase
aún   still
auricular *(m.)*   earphone
avergonzarse (o→ue)   to be ashamed
averiguar   to find out
ayuntamiento *(m.)*   municipal government
azotea *(f.)*   flat roof
azulejo *(m.)*   tile

B

bacalao *(m.)*   cod
bailarín(-ina)   dancer
balneario *(m.)*   beach resort
banco *(m.)*   bench
baño *(m.)*   bathroom
barro *(m.)*   mud, clay
bastón *(m.)*   cane, walking stick
belleza *(f.)*   beauty
bello(a)   beautiful
bicho *(m.)*   bug
boina *(f.)*   beret
bordado *(m.)*   embroidery
bordado(a)   embroidered
bosque *(m.)*   forest
brillante   shining
brillo *(m.)*   shine
brindar   to offer
bruma *(f.)*   mist
búsqueda *(f.)*   search

C

cadena *(f.)* channel, chain
caerse to drop
calefacción *(f.)* heating
calentar (e→ie) to heat
calidad *(f.)* quality
callejón *(m.)* alley
cambiar to change
cambio *(m.)* change
caminata *(f.)* walk
camino de on one's way to
canal *(m.)* channel
cancelar to cancel
cantante *(m., f.)* singer
canto *(m.)* singing
capa *(f.)* layer
capaz capable
capote *(m.)* cape
carabinera *(f.)* police
cárcel *(f.)* prison
carga *(f.)* load, burden
carnicero *(m.)* meat cutter
carrera *(f.)* career, race
caserío *(m.)* group of homes
castizo(a) genuine
caterva *(f.)* multitude
célebre famous
censura *(f.)* censorship
cercano(a) nearby
cerebro *(m.)* brain
cerradura *(f.)* lock
cesta *(f.)* basket
cestería *(f.)* basket making
ciclismo *(m.)* bicycling
cielo *(m.)* sky
cifra *(f.)* number, cipher
círculo *(m.)* circle
clara *(f.)* eggwhite
clase *(f.)* kind, type, class
clave *(adj.)* key
codo *(m.)* elbow
cohete *(m.)* flare, rocket
colocar to hire, to place
coloretes *(m.)* rouge
collar *(m.)* necklace
combustible *(m.)* fuel
cometer un error to make a
  mistake
compartir to share
compás *(m.)* rhythm
complacer to please
comprador(a) buyer
comprendido(a) contained
comprobación *(f.)* affirmation
comprobar (o→ue) to prove
conceder to award, to give

concluir to end
concurso *(m.)* contest
condado *(m.)* county
conducir to lead
conducta *(f.)* behavior
conductor(a) driver
confección *(f.)* manufacture
conferencia *(f.)* lecture
confianza *(f.)* trust
confiar to trust
conocido(a) acquaintance
conocimiento *(m.)* knowledge
conquistar to conquer
conservar to keep
conteo *(m.)* count
contienda *(f.)* event,
  competition
convertirse (en) (e→ie) to
  become, to turn into, to get
  into
convivir to live together
cordillera *(f.)* mountain
  range
corneado(a) gored
corriente common, ordinary
costoso(a) expensive
crecer to grow
creciente growing
crecimiento *(m.)* growth
cualquier cosa anything
cubrecama *(m.)* bedspread
cuello *(m.)* neck
cuento *(m.)* short story
cuerda *(f.)* string
cuidadosamente carefully
culto(a) educated

D

daño *(m.)* damage
dar a conocer to make
  known
  — comienzo(a) to begin
de acuerdo con according to
de hecho in fact
de igual manera in the same
  way
de nuevo again
de pronto suddenly
de repente suddenly
debido a due to
decálogo *(m.)* set of rules
dedicar to devote
defecto *(m.)* fault
delante in front
delito *(m.)* crime, fault

demás *(m., f.)* others
dentro de within
denuncia *(f.)* accusation,
  charge
deporte *(m.)* sport
deportivo(a) related to
  sports
derecho *(m.)* law, right
desafortunadamente
  unfortunately
desaparición *(f.)*
  disappearance
desarrollar(se) to develop
descansar to rest
descanso *(m.)* rest
descarga *(f.)* discharge
desconfianza *(f.)* distrust,
  mistrust
descubrimiento *(m.)*
  discovery
desempeñar to perform
desempleo *(m.)*
  unemployment
desenvolverse (o→ue) to get
  along, to manage
deseo *(m.)* wish, desire
desfilar to parade
desgraciadamente
  unfortunately
desgraciado(a) unfortunate
desocupar to empty
despilfarro *(m.)* waste
desprecio *(m.)* scorn
destacarse to stand out, to
  become known
destrozar to destroy
detener to arrest
dibujo *(m.)* drawing
dicho *(m.)* saying
difundir to make known, to
  spread
dioses *(m.)* gods
dirigir to direct, to address,
  to guide
diseño *(m.)* design
disfrutar to enjoy
disminución *(f.)* decrease
disparar to shoot
disponible available
distinto(a) different
diversión *(f.)* amusement
dominar to master
dominio *(m.)* mastery
don *(m.)* gift
dorado(a) golden
dueño(a) owner
durar to last
duro(a) hard

E

eficaz efficient
egoísta selfish
ejecutar to do
ejercer to exercise, to practice
elección *(f.)* choice
elegir (e→i) to choose, to select
embajador(a) ambassador
embrujo *(m.)* bewitching
emisora *(f.)* radio station
empresa *(f.)* business, enterprise
empujar to push
en la actualidad nowadays
en ninguna parte nowhere
enamorado(a) (de) in love (with)
enamorarse (de) to fall in love (with)
encaje *(m.)* lace
encanto *(m.)* charm
encargado(a) attendant
encargado(a) de in charge of
encender (e→ie) to light, to turn on
encoger to shrink
encomendar (e→ie) to give
encuesta *(f.)* survey
endurecer to firm up
enfermedad *(f.)* illness, disease
enfoque *(m.)* focus
enfrentamiento *(m.)* confrontation
enfrentar(se) (con) to face (each other)
engordar to be fattening, to gain weight
enjuagar to rinse
enojado(a) angry
enrollar to roll up
ensanchar to widen
enseñanza *(f.)* teaching
entero(a) whole
entrar en vigor to go into effect
entre among
entrenador(a) trainer
entrevista *(f.)* interview
equivocado(a) mistaken, wrong
es decir that is to say
escala *(f.)* stopover
escaso(a) scarce

escoger to choose, to select
escolar *(m., f.)* schoolboy (girl)
esconder(se) to hide
escritor(a) writer
escuchar to listen (to)
esfuerzo *(m.)* effort
espacial space
espanto *(m.)* terror, horror
esperanza *(f.)* hope
esperar to expect
estacionamiento *(m.)* parking
estacionar to park
estado *(m.)* state
 — **de ánimo** mood
estancia *(f.)* stay
estepa *(f.)* plain
estirar to stretch, to pull
 — **la pata** to kick the bucket
estrecho(a) narrow, close
estrella *(f.)* star
estreno *(m.)* premiere, first performance
etapa *(f.)* stage, period
etiqueta *(f.)* label
evidenciar to show
evitar to avoid
exhibición *(f.)* exhibition, exposition
éxito *(m.)* success
exposición *(f.)* exhibit
extendido(a) stretched out

F

fabada asturiana *(f.)* stew
fabricante *(m., f.)* maker, manufacturer
facturar to check
falta de lack of
fallo *(m.)* failure
fiebre *(f.)* fever
fielmente faithfully
fijarse to notice, to pay attention
fila *(f.)* row
finalidad *(f.)* goal
flecha *(f.)* arrow
fluir to flow
fortalecer to make stronger
frase publicitaria *(f.)* slogan
freír to fry
frente *(f.)* forehead
fuerza *(f.)* force, strength

fuga *(f.)* escape
fumar to smoke

G

gallo *(m.)* rooster
garabatear to doodle
garabato *(m.)* scribble, scrawl, doodle
gasto *(m.)* expense
gigante giant
gira *(f.)* tour
goma *(f.)* gum
gota *(f.)* drop
grabado *(m.)*
grabar to tape, to record
gracia *(f.)* charm
granja *(f.)* farm
gratis free (of charge)
grave serious
grito *(m.)* scream
guardar to keep

H

hacer frente(a) to face
hacia arriba upward
hacha *(f.)* axe
halago *(m.)* flattery, praise
hay que one must
hazaña *(f.)* exploit
hecho *(m.)* fact, event
heredero(a) heir
herido(a) wounded
herir (e→ie) to wound
hervir (e→ie) to boil
hidrato de carbono *(m.)* carbohydrate
higo *(m.)* fig
hilo *(m.)* thread
hogar *(m.)* home
holandés (-esa) Dutch
horario *(m.)* schedule
hoy en día nowadays
huésped *(m., f.)* guest
humedecer to wet
humo *(m.)* smoke
hundirse to sink

I

ilusión *(f.)* dream
impedir (e→i) to prevent

imponente imposing
imprescindible indispensable
inaugurarse to open
incluir to include
inesperadamente unexpectedly
inevitable unavoidable
infelicidad *(f.)* unhappiness
informática *(f.)* computer science
immediaciones *(f.)* immediate vicinity
inscrito(a) registered
intento *(m.)* attempt
invertir (e→ie) to invest
investigación *(f.)* research
invitado(a) guest

J

jardín *(m.)* garden
jefe(a) chief, director
joven young
joya *(f.)* jewel
juego *(m.)* game, gambling
jugador(a) player
jugarse la vida to risk one's life
juguete *(m.)* toy
jungla *(f.)* jungle
juntarse to come together, to mix with
junto a beside, next to
junto con together with
juvenil teenage
juzgar to judge

L

lacón *(m.)* pork
ladrón (-ona) thief, burglar
lana *(f.)* wool
lanzar to launch, to throw
lata *(f.)* can
lavabo *(m.)* bathroom
legado *(m.)* legacy
letras *(f.)* humanities
levantino(a) eastern
levemente slightly
libertad de expresión *(f.)* freedom of speech
— **de prensa** freedom of the press
litoral coastal

lograr to achieve, to obtain, to manage
lucha *(f.)* struggle
luchar to struggle, to fight
lugar *(m.)* room, space
lujoso(a) luxurious
luto *(m.)* mourning

LL

llama *(f.)* flame
llamada *(f.)* call

M

maceta *(f.)* flower pot
macizo(a) solid
magisterio *(m.)* education
magnetofón *(m.)* cassette player
maltratar to mistreat
mancha *(f.)* stain
mandamiento *(m.)* commandment
manga *(f.)* sleeve
maniatado(a) tied up
manso(a) tame
mantilla *(f.)* head covering
maratoniano(a) marathoner
maravilla *(f.)* wonder
marca *(f.)* brand
mascar to chew
matricularse to register
matutino(a) morning
mediante by means of
medida *(f.)* measure
medios *(m.)* means
— **de comunicación** media
medir to measure
mercader *(m.)* merchant
mercado *(m.)* market
merecer to deserve
meta *(f.)* goal
meter to insert
mezclarse to mix
miembro *(m.)* member
millares *(m.)* thousands
mitad *(f.)* half
moda *(f.)* fashion
modales *(m.)* manners
molestar to bother
montón *(m.)* pile

mortaja *(f.)* shroud
muerte *(f.)* death
muerto(a) dead
multa *(f.)* fine
mundial world

N

nacer to be born
nacimiento *(m.)* birth
naranjo *(m.)* orange tree
nave *(f.)* ship
negarse a to refuse to
negocio *(m.)* business
ni siquiera not even
nivel *(m.)* level
no obstante however
norma *(f.)* rule
nostalgia *(f.)* homesickness
notar to notice
novecentista of the 1900s
nube *(f.)* cloud

O

obispo *(m.)* bishop
obligatorio(a) required
obra *(f.)* work
— **de arte** work of art
— **teatral** play
obrero(a) laborer, worker
occidental western
ocio *(m.)* leisure time
ofrecer (yo ofrezco) to offer
oler to smell
olfato *(m.)* sense of smell
olor *(m.)* smell
olla *(f.)* pot
— **podrida** stew
órgano *(m.)* organ, publication
osado(a) daring
otorgar to give, to grant
otra vez again
oveja *(f.)* sheep

P

paja *(f.)* straw
pájaro *(m.)* bird
palabra *(f.)* word

palomita *(f.)* little dove
pantalla *(f.)* screen
pañal *(m.)* diaper
parapetarse to find shelter
pareja *(f.)* loved one
paro *(m.)* unemployment
parte de delante *(f.)* front
partir to leave
pasar hambre to go hungry
pasatiempo *(m.)* hobby, pastime
Pascua de Resurrección *(f.)* Easter
paso *(m.)* step
patear to kick
patín *(m.)* skate
patinaje *(m.)* skating
patria *(f.)* homeland, birthplace
　　— **chica** home state
pauta *(f.)* pattern
paz *(f.)* peace
peaje *(m.)* toll
pedrería *(f.)* precious stones
pegado(a) extremely close, glued
pegar to hit
peligroso(a) dangerous
pensamiento *(m.)* thought
penúltimo(a) second-last
pérdida *(f.)* loss
perdonar to forgive
periodismo *(m.)* journalism
periodista *(m., f.)* journalist
permanecer to stay
permiso *(m.)* permit, license
　　— **de conducir** driver's license
personaje *(m.)* character
pertenecer to belong
pesadilla *(f.)* nightmare
pese a in spite of
piedra *(f.)* stone
pintar to paint
piso *(m.)* story, floor
pisotear to step on
pista *(f.)* rink
　　— **de hielo** skating rink
plano(a) flat
planta *(f.)* story, floor
plateado(a) silvery
plaza *(f.)* position, opening
plazuela *(f.)* small plaza
población *(f.)* population
pobreza *(f.)* poverty, inadequacy
poco a poco little by little
poder *(m.)* power

poderoso(a) powerful
poner en libertad to free
poner en peligro to endanger
por debajo de below, underneath
por desgracia unfortunately
por el contrario on the contrary
por lo tanto therefore
por medio de through
por si in case
por tanto so, therefore
posterior later
pote *(m.)* stew
preciso(a) necessary
prensa *(f.)* press
presentar to introduce
preso(a) inmate
pretender to attempt, to endeavor
previsto(a) anticipated
productor(a) producer
profundo(a) deep
promedio *(m.)* average
propio(a) itself; own
proporcionar to give, to make available
propugnar to propose
provecho *(m.)* profit, benefit
provenir (de) to come (from), to originate (in)
publicitario(a) advertising
puente *(m.)* bridge
pues therefore
puesto *(m.)* place, position, job
pulmón *(m.)* lung
punto *(m.)* point, period
　　— **de vista** point of view

Q

quebrantamiento *(m.)* violation
quebrar (e→ie) to break
quedar to remain
quemar to burn
queso *(m.)* cheese

R

rabia *(f.)* fury
rallado(a) grated

rara vez seldom
ratón *(m.)* mouse
realizar to realize, to carry out
rebajar(se) to lower (oneself)
rebasar to go over
recopilar to compile
recorrer to travel through, to go around
recto(a) straight
recuerdo *(m.)* memory, souvenir
recurso *(m.)* means
rechazar to reject
red *(f.)* net, network
reducir to overcome
regla *(f.)* rule
reglamento *(m.)* set of rules
rendimiento *(m.)* performance
reparto *(m.)* cast of characters
repasar to review
reportaje *(m.)* report
repuesto *(m.)* spare part (i.e., of a car)
repujado(a) embossed
resaltar to stand out
resolver (o→ue) to solve
respiración *(f.)* breathing
restringir to restrict
retrato *(m.)* portrait
revisión *(f.)* check, checkup
rey *(m.)* king
riesgo *(m.)* risk
rifar to draw, to raffle
riñón *(m.)* kidney
riqueza *(f.)* wealth
rompecabezas *(m.)* puzzle
ruido *(m.)* noise

S

sabor *(m.)* flavor, taste
saborear to taste
sacudir to shake
salir con to come up with
salud *(f.)* health
sangre *(f.)* blood
santo(a) holy
satisfecho(a) satisfied
secar to dry
seco(a) dry
secuestrado(a) kidnapped
secuestro *(m.)* kidnapping

seguir adelante to forge ahead
seguridad *(f.)* certainty, security
seguro *(m.)* insurance
seguro(a) safe
selva *(f.)* jungle
semanal weekly
semejante similar
semejanza *(f.)* image
sencillamente simply
sencillo(a) simple, unadorned
señal *(f.)* signal
señalar to indicate, to point out
ser humano *(m.)* human being
sí himself, herself, itself
si bien although
siglo *(m.)* century
significar to mean
silbar to whistle
silvestre wild
simplemente simply
sin embargo however, nevertheless
sitio *(m.)* place, room
soborno *(m.)* bribe
sobre ruedas on wheels
sobre todo especially
sobrecama *(f.)* bedspread
sobrevivir to survive
soltura *(f.)* flexibility, ease
solucionar to solve
someter(se) to subject (oneself)
soñador(a) dreamer
subirse a to get on
suciedad *(f.)* dirt
sucursal *(f.)* branch office
suelo *(m.)* ground, floor, area
sugerencia *(f.)* suggestion
sumar to add

superarse to improve, to become better
superficie *(f.)* area
superior upper
surgir to appear
suspender to cancel
susto *(m.)* fright

T

tal such
tamaño *(m.)* size
taquilla *(f.)* ticket window
tardar to take time, to delay
techo *(m.)* roof, ceiling
tejer to knit
tejido *(m.)* fabric, tissue
tela *(f.)* fabric, canvas
telar loom
telaraña *(f.)* spiderweb
temible dreadful
temporada *(f.)* season
tendido(a) lying down
tener éxito to succeed
tener la culpa to be one's fault
tener lugar to take place
ternero *(m.)* calf
testigo *(m.)* witness
tierno(a) tender
tierra *(f.)* earth, land
tiro *(m.)* shot
tiroteo *(m.)* shooting
título *(m.)* degree, title
todavía still, even
todo bicho viviente every living thing (creature)
todo el mundo everybody
tolerado(a) G-rated (movie)
toro *(m.)* bull
torre *(f.)* tower
trama *(f.)* plot
tranquilizarse to calm down
tranquilo(a) quiet, calm

transladarse to move
tras after
tratar sobre to deal with
trayecto *(m.)* route, path
tripulación *(f.)* crew
triste sad
triunfar to succeed

U

único(a) only
útil useful

V

valer un Perú to be worth a great deal
valerse de to utilize
valor *(m.)* value
vanidoso(a) vain
varios(as) several
vasija *(f.)* vessle, container
vencer to conquer
vendedor(a) salesperson
venganza *(f.)* revenge
venta *(f.)* sale
ventaja *(f.)* advantage
verdadero(a) real
vida *(f.)* life
vigente prevailing
vigilante *(m., f.)* guard
víspera *(f.)* eve
voluntad *(f.)* will

Y

ya que since
yema *(f.)* egg yolk